EL ORIGEN DEL MUNDO

colección andanzas

Libros de Jorge Edwards
en Tusquets Editores

JORGE EDWARDS
EL ORIGEN DEL MUNDO

1.ª edición: septiembre 1996
2.ª edición: octubre 1996
3.ª edición: noviembre 1996

Diseño de la colección: Guillemot-Navares
Reservados todos los derechos de esta edición para
Tusquets Editores, S.A. - Iradier 24, bajos - 08017 Barcelona
ISBN: 84-7223-793-1
Depósito legal: B. 40.899-1996
Fotocomposición: Foinsa - Passatge Gaiolà, 13-15 - 08013 Barcelona
Impreso sobre papel Offset-F Crudo de Leizarán, S.A. - Guipúzcoa
Liberdúplex, S.L. - Constitución, 19 - 08014 Barcelona
Impreso en España

Indice

I

No se está en ninguna parte cuando se está
en todas.

Séneca

Todo comenzó el lunes o el martes de la semana pasada, frente al cuadro. Comenzó con una ocurrencia repentina, con una pregunta. No había pasado de ser una broma, pero después de la noche del último lunes, después del encuentro del cadáver, aquella broma, de la que no me había olvidado, adquiría matices más inquietantes, menos livianos. Matices más oscuros, por decirlo de alguna manera.

—¿Sabes una cosa? —le pregunté a Silvia en voz baja, después de haber mirado el cuadro en la gran sala de los Courbet durante un par de minutos.

—¿Qué cosa?

—Se parece mucho a ti.

—¡Estás loco! —exclamó Silvia, ruborizada como una colegiala, más irritada de lo que yo habría podido prever, y miró para los lados, porque nunca, y sobre todo en esa época del año, en pleno verano, faltaban los turistas españoles.

—Pero si es la misma guatita —le expliqué, confundido, aunque riéndome, a pesar de todo, y pensando que los españoles no entenderían el chile-

11

nismo—, y los mismos muslos regordetes, bien formados, y hasta los mismos pelos, la misma...

—¡Viejo cochino! —exclamó Silvia, sin perder su irritación—: ¡Cállate! —Y emprendió la retirada por el centro de la sala, rumbo a la puerta de salida, a través de los animales de bronce que habían poblado los comedores de nuestras abuelas, que habían salido durante décadas, entre empujones y susurros, bajo el martillo de los martilleros: perros pensativos, jabalíes cornúpetos, leones en estado de somnolencia.

—Felipe Díaz —insistí, como si no me quedara más alternativa que insistir— tiene la manía de fotografiar a sus amantes en pelota, y en poses obscenas.

—¿De dónde sacaste eso? —preguntó ella, más tranquila, por lo menos en la expresión de sus ojos, pero sin que la molestia inicial hubiera desaparecido.

—Me lo contó Alfredo, que es un verdadero experto en historias de Felipe.

—Me extraña —murmuró Silvia, pensativa—: Se cumplieron cuatro domingos, un mes entero, desde que Felipe no almuerza con nosotros, y no da señales de vida.

—Deberíamos llamarlo —dije.

—Ya lo he llamado un par de veces —dijo Silvia—: Le he dejado un mensaje en su contestador, y no se digna llamar de vuelta. ¿No le habrá pasado algo?

12

Me molestó, en verdad, aunque no tendría por qué haberme molestado, salvo que hubiera entrado en sospechas desde antes, que Silvia lo hubiera llamado y no me hubiera dicho nada. Me dejó pensativo. Relacioné el asunto, de una manera muy difícil de explicar, de explicarme a mí mismo, incluso, con el cuadro. Esa noche le pedí que se pusiera en la pose de la modelo del cuadro, la pose exacta, es decir, que se tendiera de espaldas, desnuda, con las piernas regordetas separadas, con la cara tapada por las sábanas. Incluso saqué una reproducción del bolsillo del piyama, porque me había dado el trabajo de colocarla en el piyama, lo cual, en términos penales, habría revelado deliberación, ¡alevosía!, y la examiné atentamente. ¡La postura tenía que ser lo más fiel posible!

—No sé qué mosca te habrá picado —exclamó ella.

—¿Por qué no podemos aprovechar —repliqué—, a estas alturas, por viejos que estemos, o por viejo que esté yo, mejor dicho...

—S'il te plaît! —acotó ella.

—... un buen estímulo erótico? Se me ha ocurrido, además, que podría fotografiarte. A lo Felipe Díaz...

Ella, que se había tapado la cara, lanzó un gritito ahogado por las sábanas, indescifrable, con un eco adolescente, de patio de colegio de monjas.

—¿O preferirías que te fotografíe el propio Felipe Díaz...?

13

—Déjame dormir, por favor —suplicó Silvia—: Estoy demasiado cansada.

Al día siguiente o subsiguiente, Felipe Díaz respondió a los mensajes de Silvia a las cuatro de la tarde, la hora de nuestra siesta, costumbre sagrada, y que él conocía de memoria. Dejó su mensaje en el contestador, y cuando Silvia lo llamó de vuelta, en la tarde, había desaparecido de nuevo. Parecía que hubiera resuelto romper el contacto con nosotros, a conciencia, y confieso que me sentí disgustado, ofendido. No le dije nada de esto a Silvia, para no echarle parafina al fuego, y porque intuía perfectamente, y hacía tiempo, sin necesidad del episodio del lunes en la noche, que el asunto, para ella, era más delicado, más sensible, más complejo que para mí. ¡Muchísimo más delicado y más complejo!

—Por lo menos está vivo —suspiró Silvia, y yo dije lo mismo, aunque con entonación distinta: por lo menos está vivo.

Estaba vivo, pero yo tenía otra intuición, sobrepuesta a la anterior, y que me provocaba sentimientos de perplejidad, y aparte de la perplejidad, de angustia profunda, como si destruyera todos mis esquemas, mis seguridades más elementales: la de que no estaría vivo por mucho tiempo. Intuición acertada, como se vería pocos días más tarde. Felipe había pasado los cincuenta hacía rato, y había dejado atrás, creo, y también hacía rato, la mitad de la cincuentena. La gente que vive como Felipe

14

revienta temprano, pensaba yo, lo cual quería decir que él ya estaba viviendo de prestado, de llapa (como decíamos en Iquique). Pero quizás lo pensaba, reconozco, por deformación profesional. Nosotros, los médicos, creemos que las reglas de la medicina sirven de alguna cosa, y que su transgresión siempre es sancionada por algún dios oscuro y nuestro. Cada vez que nos encontramos con un ser que parece escapar a esas reglas, con alguien rebelde a nuestros vaticinios, una persona que bebe como un cosaco, por ejemplo, y tiene el hígado en perfecto estado, que come grasa y no engorda, fingimos que nos alegramos, por él, por su vigor, por su salud envidiable, pero en el fondo nos irritamos, nos sentimos arbitraria e injustamente desmentidos. Nuestros razonables consejos, nuestros llamados a la prudencia, con su tono agorero, adquieren un retintín ridículo. ¡Qué tanto amargarse la vida por las puras berenjenas!

Influía en mí, pues, la deformación profesional, y a lo mejor, también, la deformación ideológica. Porque había sido esclavo toda mi vida, mi vida madura y útil, por lo menos, de una forma extrema de racionalidad, de un sistema global, total y totalizador, de pensamiento y de conducta. Creía que me había liberado en la vejez, pero el monstruo dogmático, en el momento menos pensado, boqueaba, daba coletazos dentro de mi pobre cabeza. Pues bien, Felipe reapareció de repente, hizo una salida a la superficie desde el fondo de su

15

caos personal, desde su delirio en apariencia tranquilo, ¡sólo en apariencia!, y comprendí en los primeros segundos que ya era otro. En los días en que no lo habíamos visto se había asomado al abismo, al infierno, y ya tenía una pata puesta en el otro lado.

El encuentro con Felipe se produjo en la mañana del viernes de la semana pasada, semana llena de signos, anuncios de la culminación del verano y de la culminación, todavía no sospechada, de muchas otras cosas, y que había comenzado con nuestra expedición, a primera vista inocente, a conocer el cuadro de Gustave Courbet, bautizado en forma entre pomposa y socarrona, no sé si por el propio artista, como *El origen del mundo,* y que acababa de ponerse en exhibición después de más de un siglo de clandestinidad. Se produjo frente al Dôme, en el vértice del ángulo agudo formado por la Rue Delambre y el Boulevard de Montparnasse, vértice que pertenece, como todos saben, a muchas mitologías, a la sudamericana, desde luego, y a una que otra metafísica.

—¿Cómo has estado, Felipe? —le pregunté, y pensé de inmediato que mi pregunta había sido indiscreta, demasiado brusca, porque su color, sus ojeras, el gesto más bien evasivo, muy poco suyo, contrario a su carácter, además del temblor evidente de las manos, de los labios, indicaban que no estaba bien, que esta vez le pasaba algo serio, quizás muy serio. Hasta esa mañana, a pesar de sus frecuentes salidas de madre, Felipe había sido el triunfador eterno, el hombre que no se quejaba nunca en este mundo quejumbroso, el sujeto más ajeno a la depresión que había conocido en mi vida, en la profesional y en la otra, y verlo, de repente, pálido, cabizbajo, tembloroso, con la mirada huidiza, y esto a plena luz del día, en todo el resplandor de los primeros días de agosto, me puso en guardia. Puedo haber empezado a perder la memoria, el pulso, y hasta la vista y el oído, para no hablar de las piernas, que alguna vez fueron famosas en las canchas de fútbol de Iquique y de Santiago de Nueva Extremadura, pero todavía, a mis setenta y tantos años de edad, conservo mi diagnóstico, mi no menos famoso diagnóstico.

El dijo que estaba bien, como se contesta siempre en estos casos, y después, en un cambio de tono inesperado, como si comprendiera que no me podía engañar (¿o me podía engañar, pregunta póstuma, y me había engañado durante largos años, me *habían* engañado?), me tomó del brazo y agregó algo. Agregó lo siguiente.

—Lo que pasa —agregó—, Patito (diminutivo muy chileno de Patricio, mi nombre), es que ya me llegó la hora de cerrar el boliche, y estoy leyendo a Séneca para consolarme, pero la verdad es que no me resigno del todo, para qué te voy a contar una cosa por otra, y que no duermo...

—Y la dosis diaria de whisky —le pregunté—, ¿cómo anda?

—Más bien alta —concedió, con la expresión de la persona que concede, o que constata, con cierta tristeza, y que se hace un reproche sin fuerza.

—¡Más bien alta!

El gesto de mis hombros, de mis brazos, indicó que los comentarios sobraban. ¡Tú sabes tan bien como yo!, quería decir mi gesto, ¡y no voy a repetírtelo!

Felipe dijo, entonces, con su voz ronca, aguardentosa, o whiscosa, para ser más exacto, que se había encontrado por primera vez en su vida en una situación que definió, con una pizca de ironía, hasta con humor, pero admitamos que sin alegría, sin la menor complacencia, como dramática.

—¡Una huevá dramática! —exclamó, de la manera más chilena de este miserable mundo—: He tenido que elegir entre una mujer y la botella, y, si quieres que te diga la verdad, la pura verdad, sospecho que me he quedado con la botella.

—¡Mal asunto! —exclamé.

—Y mal diagnóstico, supongo —añadió él, con cara de preocupación.

—¡Pésimo diagnóstico!

Nos sentamos en la terraza del Dôme, de todos modos, cualquiera que fuera el diagnóstico, y él bebió su primer Ballantine's del mediodía, con los dos cubos de hielo de rigor y con el toque simbólico de agua Perrier (nos acordamos de Acario Cotapos, *Cotapós* para los franceses, que pedía una «Panimavide». «Une Panimavide, s'il vous plaît!»), y yo una limonada, o mejor dicho, un *citron pressé* clásico. Uno de mis secretos, secreto no bien guardado, puesto que lo divulgo a voces, como misionero, pero escasamente compartido, es, ha sido, ¿era?, el no alcohol, el agua mineral y la limonada. Era, insisto, después de los acontecimientos de los últimos días y de las últimas horas, y me pregunto si habrá regreso a aquello, a la limonada con todas sus circunstancias, a lo que era y ha dejado de ser.

Creo que hablamos de Bosnia Herzegovina, de las imágenes bestiales que teníamos que tragar con nuestros respectivos desayunos, de la barbarie, del racismo, que después de tantas guerras, tantas campañas en contra, tantas prédicas y tantas buenas intenciones, se encontraban en pleno auge, y de la incapacidad vergonzosa de las Naciones Unidas, de los gobiernos europeos, de la Casa Blanca, de todos ellos.

—De todos nosotros —precisó Felipe, que no estaba esa mañana para concesiones, que hablaba con nervios triturados, con hígado adolorido, y yo, con mi antigua cara de militante, de beato condolido con los males de este mundo, asentí. Pidió su segundo Ballantine's, y cuando se lo sirvieron en una dosis más generosa que la primera, dada su calidad de viejo parroquiano de aquella terraza, cliente, por así decirlo, histórico, que la había conocido en los tiempos anteriores a su restauración, los de Giacometti, los de Alejo Carpentier y el Negro Ulloa, retomó el asunto.

—Lo que más me jode —dijo— es que la decadencia mía coincide con la decadencia de todo, la de las ciudades que hemos amado, la de las culturas que hemos admirado. Cuando se derrumbó el Muro de Berlín, hace tan pocos años, yo saltaba en una pata, riéndome de los fanáticos, de los policías, de los hipócritas y los frescos de todo pelaje que nos habían hecho la vida imposible, y ahora, en cambio, después de aquella euforia momentánea, me siento derrotado, deprimido. ¡Cagado!

Yo ya le había hablado, y más de una vez, sobre los efectos depresivos del alcohol. No sacaba nada con ser majadero. Pero lo soy, por lo visto. Un médico, quizás, es un majadero por oficio y hasta por naturaleza. Está embarcado, al fin y al cabo, en una lucha majadera: ¿contra qué, contra el tiempo, contra la muerte? Preferí no decirle nada, para no deprimirlo todavía más. ¡El que estaba leyendo a Séneca era él, sin embargo!

—¿Qué edad tienes, Felipillo? —le pregunté después de un rato—: ¿Ya cumpliste los sesenta?

—Me falta un poco —respondió, mirándome por encima de sus anteojos rebajados, que se había puesto para contemplar el fondo del vaso, como si las formaciones de hielo derretido entre restos desteñidos de whisky le sirvieran para augurar el futuro. El futuro se presentaba negro, y él agregó que le faltaba, en realidad, para los fatales sesenta, bastante poco.

—¡Cuestión de minutos! —agregó, riéndose, ta-

20

pándose la cavidad de la boca con la mano derecha, cuyo pulso se había afirmado.

—Eres joven todavía, ¡un muchacho!, pero ya dejaste hace rato, si quieres que te lo diga, de ser un niño, y quizás convendría que empieces a tomar conciencia del asunto.

—Creo que ya empecé —respondió, con cara de pesadumbre, cruzando las manos nerviosas, nudosas, finas, a pesar de las arañas rojizas, encima de la mesa, y mirándome de soslayo—: ¡Hace un buen rato!

—Pues bien —le advertí, en mi tono de prédica inevitable, y empleando, para colmo, un símil de colegio de curas—, eso significa que no puedes continuar viviendo al divino botón. ¡Ya te toca asumir una conducta, muchacho, una norma de vida!

—Es lo mismo que me dijo una adivina durante las peloteras de mayo del 68, ¡hace más de un cuarto de siglo!

—Tienes que bajar de peso, ocho o diez kilos, por lo menos, eliminar esa panza vergonzosa, hacer ejercicio todos los días...

—A mí me enseñaron que el ejercicio era para los bueyes —dijo Felipe, sobándose la barriga.

—... y controlar el colesterol, y el azúcar, y la urea, y el estado general del hígado, probablemente precario, y hacerte examinar la próstata. ¿Cuándo fue la última vez que te examinaron la próstata, si es que alguna vez te la han examinado? Y seguir un régimen de alimentación, pero no durante dos o tres semanas, eso no sirve, ¡durante todo el resto de tu vida! Una sola copa de vino al almuerzo, una a la comida, y fuera para siempre las grasas, los dulces, los pataches...

—¡Qué horror! —aulló Felipe Díaz, el eterno Felipe Díaz, con voz ronca, teatral, mesándose los cabellos, y llamó al mozo en forma ostentosa. El mozo era un francés alto, huesudo y enjuto, más bien joven.

—Esta vez, *mon cher,* por ser viernes, voy a pasar al tercero...

—*Tout de suite, monsieur* —respondió el mozo, y nos comunicó, inclinándose y poniendo cara de chusco, una cábala secreta, o un fragmento de filosofía de bar. Los aperitivos, en su bien consolidada opinión, y sobre todo si eran tragos fuertes, whiskies en las rocas, por ejemplo, Martinis muy secos, había que beberlos en números impares: uno, tres, cinco, siete... ¿Comprenden ustedes, señores?

Comprendí que eran lucubraciones de borrachos, de borrachines, y en este caso preciso, de un explotador de extraviados alcohólicos, y me pregunté si no estaba perdiendo miserablemente mi tiempo. Aún más, llegué a preguntarme si mi profesión de médico generalista y de psicólogo no había sido siempre, en última instancia, una pérdida de tiempo perfecta, puesto que los seres humanos eran opacos, ajenos, inayudables e irreductibles. La imagen de la mujer desnuda del cuadro, como si fuera más real, más vigente que todo lo otro, me volvió a bailar en la cabeza, y me imaginé a Felipe, me lo imaginé entonces, antes de haber observado las reacciones descontroladas de Silvia frente a su cadáver, y me lo imagino con más razón ahora, después del episodio aquel, abriéndole las piernas, colocándolas en la misma posición. ¡Qué disparate! Pero él, sonriendo, parecido al Felipe Díaz inconsciente y sublime de toda la vida, no al que había encontrado hacía media hora en la esquina mitológica, le halló la razón más completa al mozo, como si fuera, más que un camarero de terraza, un iluminado, un guru. No tuve más alternativa que encogerme de hombros: encogerme de hombros, irritado, aunque todavía ignorante de lo que me esperaba, y mirar a los turistas de las mesas de al lado.

II

Vivió bien el que se escondió bien.

Ovidio

—Mira, Patito —dijo Felipe Díaz—, lo que pasa... —y si el recuerdo del viernes de la semana pasada, después de tanta cosa, no me engaña, puso una expresión de picardía, incluso de euforia, o quizás de perplejidad, y dejó la frase inicial en suspenso, como para subrayar la importancia de lo que iba a seguir. Se acomodó en su silla, paseó los ojos achispados, enrojecidos, bolsudos, por la esquina bulliciosa, punto de encuentro de diversas calles y bulevares, se detuvo, sin indulgencia, con desdén de parisino viejo, en los turistas de pantalones cortos y de zapatillas de tenis que cruzaban, disciplinados, debajo de los semáforos en verde, y se dispuso a contarme la verdad verdadera. Como decimos en mi tierra, en el Norte Grande y en el Sur Profundo: ¡la firme!

Aunque tenía la cara visiblemente estropeada por los excesos alcohólicos y de todo orden, sin excluir ocasionales, y quizás, en el último tiempo, no tan ocasionales esnifadas de cocaína, Felipe Díaz todavía conservaba su buena figura, realzada por algunos detalles de coquetería en la vesti-

27

menta. Era una especie humana con la que me había encontrado en una que otra ocasión: el intelectual latinoamericano que pasó por la religión comunista, como era de rigor, pero que venía de lo que se llama por allá, y también, si es por eso, por acá, una «buena familia», y que nunca renunció ni quiso renunciar a los estilos, a las maneras, a los comportamientos, y ni siquiera, en el fondo, a las arrogancias de los hijos de las buenas familias.

Había sido casado alguna vez, en su ya remota juventud, con una chilena de su misma clase, una de esas pitucas de filiación latifundista y que a pesar de su pituquería, de sus blusas de seda, de sus relojes de Cartier, hablan como colchagüinas. Con la huasa de Colchagua, que pertenecía por derecho propio, según me contó una vez, a la familia espiritual de la Huasa Contenta de la mitología criolla, había tenido un par de hijos de los que hablaba poco, hijos que daban señales de vida muy de cuando en cuando. En una de ésas había conseguido divorciarse, quizás como, porque la huasa era observante y comulgante, para volver a casarse en París con una francesa que alcanzamos a conocer, Silvia y yo, y que era beata de otra Iglesia, entonces, y no sé si ahora todavía, muy poderosa, la Iglesia del Partido. En los últimos veintitantos años había estado solo, y se le habían conocido conquistas femeninas sucesivas, de una rapidez a veces fulgurante, a menudo extraordinarias por su

28

belleza o por otros motivos, conquistas que nos asombraban, que nos dejaban, a Silvia, a mí, a nuestros amigos, con la boca abierta, ¿que fascinaban a Silvia, que la seducían?, que caían sobre nuestras tertulias, saturadas por la majadería ideológica, por los chistes repetidos, como aerolitos, trayendo noticias y, más que noticias, resplandores, ecos, reflejos, de otros planetas, de planetas tentadores, ajenos, vedados para nosotros. Se decía que la censura moral de la Comisión de Cuadros, ejercida con el rigor que todos conocimos de algún modo, y con su difuso y venenoso efecto multiplicador, había sido la causa principal de su alejamiento del Partido, y que sus críticas cada día más explícitas, más indiscretas, más reiteradas, sus elaboraciones intelectuales demasiado heréticas, sus distancias cada vez más apasionadas con respecto al Bloque Soviético, mucho antes de la caída del Muro, e incluso con respecto al castrismo, la Revolución nueva, intocable, pura, de acuerdo con la fraseología de moda, no eran más que una racionalización posterior a esa ruptura, que asumía las formas o por lo menos las funciones de una especie de pecado original. Por mi parte, nunca estuve tan seguro de esta explicación de su salida del Partido. Siempre sentí que era una explicación para consumo interno, que en cierto modo habríamos podido llamar piadosa. ¡Piadosa para nosotros, para nuestras ilusiones! A pesar de su frivolidad evidente, nunca disimulada, Felipe Díaz era un devorador de diarios, de libros, de papeles impresos. Tenía una inteligencia penetrante, bien ejercitada, una capacidad de asimilación digna de una esponja, una memoria de elefante, y me consta que en los comienzos de la década de los sesenta, e incluso antes, en los años posteriores al XX Congreso del PCUS y al informe secreto de Nikita Kruschev (no podemos evitar, ni siquiera ahora, el lenguaje de iniciados, la jerga), había empezado a dudar de nuestra «causa». Era el único entre nosotros que siempre, desde los primeros años, mostró simpatías más bien matizadas, salpicadas de observaciones jocosas, francamente irrespetuosas, por Fidel Castro, a quien solía mencionar, ante el escándalo nuestro, como «el barbeta», acompañando la mención, cuando ya había tomado sus primeras copas, con una imitación muy cómica de la manera de hablar de los cubanos, y sospecho que todas sus dudas culminaron, o que salieron a la superficie, adquirieron permiso de circulación, por así decirlo, con la invasión de Checoslovaquia por las tropas del Pacto de Varsovia. A partir de entonces tuve la impresión extraña, enteramente personal, mezclada con sentimientos contrarios, irritación, exasperación, celos confusos, de que ahogaba los lamentos por la fe política perdida en los brazos, o en la vagina, de las mujeres, o de que ambos extremos, el escepticismo político y «la carne que tienta con sus frescos racimos», para citar a nuestro Rubén Darío, que posiblemente inventaba estos artefactos poéticos bajo estos mismos aires, cerca del mismo ángulo metafísico de la Rue Delambre y del Boulevard de Montparnasse, se reforzaban mutuamente. Felipe Díaz, claro está, nunca había necesitado pretextos ni conflictos ideológicos mayores para emprender sus aventuras, pero en los días intensos, entre augurales y terminales, de la primavera y el verano del año de gracia de 1968, entre el mayo de París y el agosto de Praga, rompió en forma definitiva su matrimonio con la francesa, su segunda mujer, que en aquella época, años de ultraizquierdismo, de «gauchismo», de crítica del estalinismo desde la izquierda, era todavía una estalinista después de Stalin, una estalinista vocacional, que si no hubiera existido el estalinismo lo habría inventado, como muchas otras personas que conozco; rompió, pues, con la francesa, y puso tienda aparte, antes de que los disturbios terminaran, en compañía, si no recuerdo mal, de una exaltada y transitoria estudiante de arquitectura; se zafó, en forma también definitiva y que no podía ser más paralela y coherente, de las ataduras del Partido, y se lanzó a una especie de donjuanismo desenfrenado, a una farra corrida, acompañada, en los intervalos libres y lúcidos, de brulotes anticomunistas no mal escritos (ya teníamos que reconocerlo entonces), de un par de novelas olvidables del género fantástico, género que no le iba demasiado bien, hijas bastardas de la narrativa de Borges y de Julio Cortázar, y de una obra de teatro tendenciosa

31

y francamente desastrosa, cuyo estreno sirvió para que sus ex amigos comunistas (con exclusión de Silvia y de mí) se afilaran las uñas, y hasta los colmillos. De pronto vimos que se había levantado una jauría de colmillos babeantes, e hicimos un amago de tomar su defensa, Silvia con más convicción y con más energía que yo (ahora lo compruebo, no tengo más remedio que comprobarlo), pero la verdad era que Felipe Díaz, con la idea disparatada, en el fondo demasiado pretenciosa, de que podía escribir una obra de teatro en un fin de semana, no nos había facilitado la tarea. Asistimos, en buenas cuentas, desde nuestras butacas de palco, al fracaso, y a la subsecuente y subsiguiente carnicería, Silvia con visible tristeza, yo con sentimientos mezclados, tristeza, pero también revancha, y una dosis no escasa de mala leche.

Ahora bien, y para ir al grano: lo que me contó aquel día viernes al final de la mañana en la terraza del Dôme, al son de los cubitos de hielo de su tercer whisky, fue que había recibido la visita de una mexicana de origen japonés, ¡qué mezcla!, pero el resultado de la dichosa mezcla era digno de verse, ¡una perfecta maravilla!, mexicano japonesa a quien había conocido en un viaje reciente por Suiza, donde vivía cerca de Basilea emparejada con un suizo joven, de buena pinta, bien educado y bien presentado, pero insulso, desabrido como un vaso de agua perra, y profesor, para colmo, de teoría literaria.

—¿Y ella?

Ella era filósofa, ¡nada menos!, licenciada en filosofía en algún lugar tan improbable como la Universidad de Tabasco o de Jalapa, con estudios de postgrado en North Carolina, y aspirante a novelista; mujer inteligente, por lo demás, y encantadora, dotada de una cintura de avispa, piel aceitunada, perfecta, y los ojos más insinuantes y las pechugas más lindas que él había visto en su vida, y no había visto poco, aseguró (sin la menor necesidad de asegurarlo), en materia de pechugas, y en otras y variadas materias.

—¿Cuál es el problema, entonces? —le pregunté, riéndome, porque Felipe Díaz era, no podía negarlo, un sinvergüenza simpático, una especie de pícaro sentimental, buen amigo por vocación, aunque quizás traidor por instinto, y siempre terminaba riéndome a carcajadas con sus aventuras, hasta el punto de que Silvia, que suele sacar a relucir desde su rincón, debajo de su lámpara de lectura, una lengua de lija, decía que éramos, en el fondo de los fondos, un par de mariconazos, y que nos distraíamos hablando de mujeres, pero que nuestra única verdadera calentura era la nuestra, la que nos bajaba con nosotros mismos cuando estábamos juntos. Extraña teoría, la de Silvia, quien de repente, cuando uno menos se lo piensa, introduce en la atmósfera un elemento terco, acerado, una gota destilada de veneno. Conozco tanto a Silvia, y a veces, sin embargo, descubro que no la conozco nada, que he vivido cerca de treinta años al lado de una perfecta desconocida.

El problema de Felipe Díaz, desencadenado por la visita de la licenciada mexicano japonesa, quien quizás habría hecho mejor en quedarse en Suiza junto a su joven semiótico, a su teórico literario, no dejaba de ser grave. La emprendedora licenciada se había instalado en París en casa de una amiga brasileña, pintora para más señas y casada con un escultor, en el cercano Boulevard Edgar Quinet, frente a los portones del cementerio de Montparnasse, y sólo llegaba a visitar a Felipe por las tardes. De esto hacía ocho días. ¡Ocho días de ilusiones desbaratadas, de verdadero Infierno! ¿Por qué? Por una razón trascendental. Porque el Casanova, el Don Juan Tenorio de los chilenos y latinoamericanos de París, el mujeriego desaforado, el seductor infalible, capaz de hacer las conquistas más fulgurantes en un par de horas, de conocer a una mujer por la tarde, bebiendo una copa de cualquier color en el Rose Bud, y de partir por la noche con ella, en un automóvil de *sport* más bien cascado, a Sevilla, nada menos que a Sevilla, ¡y en homenaje a Georges Bataille y a su *Historia del ojo!*, no había tenido ni el asomo de una erección durante las ocho tardes, noches o madrugadas seguidas.

Yo, con un placer perverso que pugnaba por aflorar en una ancha, maligna sonrisa, me limité a señalarle con el dedo índice el vaso de whisky,

34

pensando que mi papel, mi condición de conciencia de los duros hechos biológicos y psicológicos, de las opacas verdades de la máquina humana, no dejaba de ejercerse con una voluptuosidad secreta, de inquisidor o de comisario, ¡la disimulada, repulsiva voluptuosidad de todos los inquisidores y todos los comisarios de esta tierra!

—¡Tú ya sabes!

¡Claro que sabía!, y hasta el séptimo día había tratado de cambiar la venenosa botella de Ballantine's por la seductora filósofa, convencido de que prefería a la filósofa, pero en el octavo, esto es, en la víspera de nuestro encuentro, después de soñar dormido, y hasta despierto, con formas insinuantes: botellas panzudas, verticales, redondas, de greda, con etiquetas verdes y letras doradas, con perfiles de castillos de Escocia, con cintas rojas o con miniaturas emblemáticas, en las alturas de bares que flotaban por los espacios siderales, reproducidas por espejos, entre luces y sombras, veladas por el humo, silenciosas en medio de los gritos, de las carcajadas destempladas, de los golpes de los puños en los mesones, y de despertar junto a la cintura de avispa, al pubis delicado y a los pechos perfectos, sumido en la extraña experiencia de estar desnudo con ella en su cama tan conocida, tan frecuentada, y de hablar de Platón, pero no después de haber hecho el amor, sino antes, y en un antes que le iba pareciendo infinito, llegó a la conclusión, después de todo eso, y de repente, en una ráfaga intuitiva, de que prefería, en su fuero interno, en el núcleo más auténtico de sí mismo, «¡qué quieres que le haga, Patito, así es la vida, así son las cosas!», la botella, que era confiable y cómplice, y que no le pedía cuentas de nada.

Yo me reí, pero él parecía más bien abrumado, como si su conclusión hubiera tomado forma a pesar de él mismo, incluso en contra de él mismo, e implicara una revisión amarga, un desencanto retrospectivo. Porque él tenía que admitir, en la solemnidad de ese día, de esa hora, de su segundo Ballantine's en las rocas, que la botella, con todos sus demonios, con sus geniecillos encerrados, le causaba menos ansiedades y perplejidades; que su silencio, subrayado por su forma redonda, por su inmovilidad enigmática, podía ser más interesante que las palabras de la mexicano japonesa o de cualquier otra, y que era, en definitiva, más propicia para la tranquilidad de su ánimo, para su distancia con respecto al mundo, para su filosófica resignación, que la propia filósofa.

—¿Se lo dijiste a ella?

—Se lo dije. Lo dudé, cavilé, medité, y al final se lo dije. ¿Y sabes con qué salió, ella, que hasta ese octavo día había sido tan prudente, tan delicada, tan discreta, metiéndose a mi cama y saliéndose sin la menor queja, como si no hubiera sucedido nada, o más bien, para ser más preciso, como si hubiera sucedido algo?

Como su amiga del Boulevard Edgar Quinet se

36

ausentaba durante todo el fin de semana, y como el profesor de teoría literaria era un caso perdido, y por otro lado, entre ella y un computador había elegido el computador, se quedaría con él, con Felipe, toda la noche del viernes al sábado, y entrada la mañana del sábado, ya pasados los efectos del alcohol, proponía que hicieran un nuevo intento. «Si te interesa», añadió, y Felipe, francamente alarmado, tuvo la impresión de que no lo decía en broma, de que lo decía con una seriedad helvética o germánica que le había contagiado el profesor, germánico japonesa, seriedad del corazón relojero y banquero de Europa, mezclada, posiblemente, con pragmatismo del Japón contemporáneo, «si te interesa, puedo traer ropa interior erótica, implementos especiales, cueros con incrustaciones de acero, lo que tú pidas, amor mío, puesto que la erección, que para mí no pasa de ser un detalle, te preocupa tanto...»

Volví a reírme a todo lo que daba. La cara de angustia de Felipe era uno de los mejores espectáculos que me había tocado presenciar en el último tiempo: todo un poema humorístico y patético.

—¡Animo! —le soplé, golpeándole la espalda— y, como dicen mis amigos valencianos, *¡força en el canut!* Mañana al final de la mañana volveré a pasar por aquí, y si estás de humor, baja de tu madriguera a contarme...

Estaba seguro de que me contaría todo el episodio, sin ocultar detalles que podrían ser humillantes para él mismo, con algo, incluso, de gusto masoquista por la autodenigración, porque sentía, en su fuero más íntimo, que su persona, su incomparable persona, estaba por encima de sus propias flaquezas y hasta de sus propias vilezas. Aún más, me dije que actuaría con la filósofa pensando en lo que me iba a contar, armando quizás los comienzos de una que otra frase, riéndose para sus adentros. Porque era un actor deliberado y consumado, y la eficacia de sus actuaciones era infalible. Así lo constataba yo, por lo menos, y lo constataba, debo reconocerlo, con algo de rabia, porque en esa eficacia, sentía, había no sé qué de excepcional, de abusivo, de injusto para uno. Por su lado, la desprevenida filósofa no sospecharía que en la escena, junto a la cama, detrás de una cortinilla, habría un espectador oculto, un tercero, y un tercero que no sólo contemplaría la escena por Felipe y por ella, sino también por él, y por otra. Así es, o así era, y así somos. Silvia, comprendí (y comprendo ahora con mucha mayor razón), nos conocía a los dos mejor que nadie.

—Mira lo que le pasa —le dije a Silvia, lanzando una sonda cautelosa, tanteando el terreno, al abrir la puerta del departamento y divisar sus piernas cruzadas, sus pantorrillas todavía juveniles, sus bonitos zapatos— a nuestro amigo Felipe.

—¿Qué le pasa?

Estaba hundida en su sillón, exhausta, con un trapo de limpieza en la mano, en uno de esos momentos de la jornada en que era capaz de añorar, para inquietud mía, las comodidades de la vida en Iquique. Tenía la costumbre, Silvia, de reírse de las cosas de Felipe, de hablar más bien mal de él, pero cuando él llegaba a una parte, ella se animaba, se alegraba, cambiaba de comportamiento en forma visible. Los demás quizás no lo veían, pero yo lo veía muy bien, más que bien, y me parecía que la evidencia era abrumadora, escandalosa. ¡Silvia!, exclamaba para mis adentros, y observaba de reojo, con escaso disimulo, con emociones que un buen lector habría podido leer en mi cara, el entusiasmo con que lo besaba en las mejillas al saludarlo, repetidas veces, terminando por besarlo cerca de la boca. Demasiado cerca, demasiado entusiasmo, mascullaba yo, pero no decía una sola palabra, y pronto, porque soy, o era, más bien dicho, en aquel tiempo, una persona de excelente salud (tengo miedo de que la salud, ahora, se me esté transformando en enfermedad), pensaba en cualquier otra cosa.

La primera prueba de una inteligencia ordenada, en mi opinión, es poder detenerse y demorarse con ella misma.

Séneca

III

En las obras autobiográficas de Stendhal, en los llamados «escritos íntimos», hay un personaje que aparece en forma recurrente, un amigo que el narrador observa siempre con curiosidad, divirtiéndose con sus rarezas, con sus genialidades, y, sobre todo, con sus hazañas eróticas, y de quien destaca, con insistencia, en pasajes muy alejados unos de otros, lo cual revela una casi obsesión, el rasgo siguiente: que necesita hacer el amor con una mujer distinta cada noche. Una vez que ha poseído a esa mujer, su cuerpo pasa a ser para él, para el personaje de marras, tan indiferente como el cuerpo de un hombre. Así dice el señor de Stendhal en alguna página que ya no recuerdo con exactitud, puesto que cito de memoria. Ahora bien, en mi calidad de stendhaliano de vieja data (llegué a sostener la tesis extravagante, en mis juveniles cuarenta y tantos años, en un artículo enrevesado, pretencioso, publicado en la revista *Aurora,* de que el autor de *La Cartuja de Parma* era un precursor del marxismo), he sospechado a menudo que este personaje, que asoma en las esquinas de diversos textos, en los capítulos sobre París, sobre la Rue de Grenelle o el Faubourg Saint-Germain, de *Henri Brulard,* en los episodios londinenses de *Recuerdos de egotismo,* en páginas de diario y de correspondencia, es el propio Stendhal, que se retrataba a sí mismo con una mezcla de narcisismo y de disimulo, con esa ambigüedad esquiva, engañosa, en alguna medida complaciente, que es inherente a todo autorretrato literario, y sospecho también que la encarnación actual de dicho personaje, por lo menos para mí, dentro del mundillo mío, era, o es, ¡quién iba a ser!, Felipe Díaz. Lo sospechaba desde hace mucho tiempo, y ahora, después de los sucesos de las últimas dos semanas, mis sospechas tienden a confirmarse. Se lo dije, por lo demás, en alguna oportunidad, en alguna relación desigual de whisky contra limonada, y él aprovechó para desenterrar una historia de faldas que no le conocía. Le conocía muchas, desde luego, pero a veces tenía la impresión paranoica de que me engañaba con la verdad, fingiendo que me contaba todo, que no habría sido capaz de ocultarme nada, con lo cual aquello que me ocultaba quedaba mucho más oculto. ¿Paranoia? ¡Vaya uno a saber! El caso es que me contó, cuando le hablé de su precursor stendhaliano, la historia de una chica de Montparnasse, Mélanie Sylvestre, mujer bonita, oriunda del Mediodía francés, más bien robusta, de piel gruesa y morena, un tanto viciosa, amiga en sus años muy mozos de Giacometti y de otros artistas, y que se había acostado una noche cualquiera con un aristócrata conocido, dueño, para más señas, de una pequeña viña en las cercanías de Dijon, viña incrustada, en buenas cuentas, en el riñón ilustre y vinoso de la Borgoña. Con su visión libertina, Mélanie había captado de inmediato que el marqués de no recuerdo qué, y productor de vinos, pertenecía a la especie humana descrita por Stendhal, y se había ganado la vida, a partir de ese provechoso descubrimiento, consiguiéndole mujeres no profesionales, simples aficionadas, para sus diversiones nocturnas. Felipe me contó, tapándose la boca con una mano, porque le encantaban los falsos misterios, ¡al muy cabrón!, que él también había hecho el amor con la famosa Mélanie, y que había tenido ocasión de degustar un par de las botellas guatonas, borgoñonas, de *Monsieur le Marquis.*

—¿Cuántas veces? —le pregunté, al estilo de los inquisitivos y sudorosos confesores de nuestra adolescencia, y él, encogiéndose de hombros, contestó:

—Dos noches. Dos noches muy separadas entre ellas. ¡De manera que tu teoría de la noche única, o del polvo único, ha sido rebatida, por lo menos en el caso mío!

Me había contado esa historia hacía tiempo, y mientras lo esperaba el sábado por la mañana en la terraza del Dôme, por una obvia asociación de ideas, me había vuelto a la memoria. Felipe llegó muy al final de la mañana, bien acicalado, de camisa azul fuerte y chaqueta de lino de color crema, esas combinaciones de los sudamericanos que aprendieron a vestirse con astucia y con coquetería desde niños, cosa no frecuente, desde luego, entre los intelectuales de izquierda que llegaban a París con la lengua afuera, en busca de la fama internacional (en los comienzos de la década del sesenta), o perseguidos por el dictador de turno, o ambas cosas. Venía un poco pálido, recién afeitado y hasta perfumado, con la mirada fría, ausente, y traía debajo del brazo un grueso fajo de periódicos: *Libération*, *Le Figaro*, el *International Herald Tribune*, *El País*, *Le Monde* de la tarde anterior, y creo que algún otro.

—Ahora —dijo, con un aire de resignación que ahorraba mayores confesiones, que me obligó, debido a su patetismo, a su ingenuidad, a disimular la risa— voy a dedicarme a escuchar los estudios para piano de Serguei Rajmáninov, que me gustan, he llegado a la conclusión, mucho, aun cuando no correspondan al gusto consagrado en el ambientillo de las licenciadas en filosofía...

—¿Te ha ido mal, entonces, con las licenciadas?

Hizo un gesto en el aire, indicando, como Hamlet a su amigo, que había cosas en este mundo y en el otro que mi filosofía, ya que hablábamos de filosofía, no alcanzaba a comprender.

—... a leer epístolas de Séneca; a releer a Marcel Proust y a Dostoievski; a echarle una mirada a la obra de Pérez Galdós...

46

—¡Pérez Galdós!

—Siempre se me anduvo quedando en el tintero. Y voy a seguir la prensa diaria —agregó, suspirando— con un poco más de calma y de atención que antes.

—¿Y cómo reaccionó ella? —me permití preguntar.

—¿Ella?

Ocurría que ella, la filósofa, había tenido, según Felipe, una reacción inesperada, extraña, «extrañísima», corrigió, que lo llenaba de perplejidad, de preocupación, del más auténtico recelo. Le había dicho al mediodía, es decir, hacía muy poco rato, después de levantarse, de entrar en su cocina y de prepararle, con lo poco que había, abriéndose paso a tientas en medio del desorden, del más inaudito despelote, sin preguntar dónde se hallaban la cafetera, las tazas, el azucarero, etcétera (detalle que le había parecido de una notable y, por eso mismo, alarmante sutileza, de persona que lo conociera de toda la vida y que supiera, ¡con sabiduría de geisha!, dar satisfacción a sus más mínimos caprichos), un rico desayuno, con tostadas perfectas, pasadas por un resto de mantequilla y realzadas con un punto de mermelada de mandarinas que se le había olvidado que existía en su alacena, le había dicho, pues, al final de aquella habilidosa y meticulosa preparación, lo siguiente:

—No te preocupes nada, absolutamente nada. Por lo de esta noche, o por lo de cualquier noche

47

pasada o futura. Quédate tranquilo. Si ya elegiste la botella, porque parece que ya la elegiste, no hay ninguna razón para que me descartes a mí. Yo me meto adentro de tu botella, si a ti no te molesta, y se acabó el cuento. Porque contigo, aunque sólo hagamos el amor una vez al año, ¡o nunca!, me siento mil veces más contenta, más feliz, que con el profesor suizo, que quiere hacerlo todas las noches y todas las mañanas, y que después de hacerlo hunde la cabeza en su computador, en sus libracos, en sus fichas, en sus diccionarios, y no la levanta más en todo el día. ¿Me entiendes? Yo miro tu cara bonita, pero golpeada, estragada, tus mejillas medio partidas, como si hubieras estado metido en un ring de box durante los últimos veinte años, tus patas de gallo, con tus ojitos que se ríen y que me miran, y me perforan, y me hacen tilín por adentro, y me siento dichosa. ¡No necesito nada más! ¡Te lo juro por mi padre y por mi madre, por Platón y por Aristóteles! Me voy a meter adentro de tu botella, y mientras tú te ahogas en whisky, yo me voy a enroscar con toda tranquilidad, me voy a convertir en un ovillo, en un gusano, como los gusanos de los mezcales de mi tierra, y voy a escribir novelas, cuentos, ensayos, obras de teatro...

—¡Eso me dijo! —exclamó Felipe, golpeándose la frente—. ¡La mexicano japonesa especialista en Leibniz, en la teoría de las mónadas! ¿Te dai cuenta, Patito? Y enseguida, convencida, seguro, de que se encontraba en el mejor de los mundos posibles, levantó los brazos, lanzó un ¡sí! de alegría, de victoria, parecido al de los kamikazes en el momento de subirse a sus aviones suicidas, y de un salto se sentó en mi falda, y me abrazó con sus brazos delgados, pero bien formados, y dotados de músculos de acero, hasta casi ahogarme, hasta dejarme con la respiración cortada. ¡Qué brazos, qué abrazo, qué susto! Me vi domesticado por la licenciada, que ni siquiera se había dado el trabajo de pedirme permiso, y mi primera reacción fue de rechazo decidido, incluso de rabia, pero ella, como ya te lo he dicho, tiene un perfume natural absolutamente único en esta tierra traidora, y una piel de una belleza irresistible, una piel andaluza con un lejano ingrediente asiático, y sus tetitas son, te lo aseguro, las más perfectas que he visto en los últimos veinte años, en los últimos treinta... ¡Las tetiellas tenía como manzaniellas! —recitó, repentinamente volado, en el paroxismo del delirio.

—No tienes remedio, Felipe Díaz —dije, pensando con rencor, con una molestia que no podía evitar, en otros pechos incomparables, o que lo habían sido hasta hacía muy poco, y que él, seguro, también había tocado y había mordisqueado.

—Eso es verdad —admitió, con la vista baja, con aire penitencial—: No tengo remedio.

—¿Y tus propósitos de dedicarte a escuchar los estudios tardíos de Rajmáninov, ¡qué idea más loca!, y a leer las epístolas completas de Lucio Aneo Séneca, idea mucho más razonable, por lo menos para mi gusto?

—Los *Etudes Tableaux* Opus 33 y Opus 39 —precisó—, que no podemos calificar de tardíos, aunque se hayan conocido tarde y sean del gusto de personas como yo, ¡en las últimas!, porque fueron comenzados, en realidad, en 1911, a los 48 años de edad del compositor, en la segunda y la mejor de las juventudes.

Ahora bien, decía lo que había dicho para rectificar, porque era un escritor, al fin y al cabo, y un hombre respetuoso de los detalles, sobre todo de los detalles estéticos, pero también dijo, para responder a mi pregunta, algo más, algo que me pareció entre divertido e inverosímil, y que implicaba una claudicación, incluso un reblandecimiento. Dijo que sus propósitos de lectura, de música, de repliegue, habían quedado en pie, adoptados, plenamente vigentes, pero con una salvedad: la mexicano japonesa, después de liquidar rápidamente sus cosas en Suiza, se instalaría en su departamento de la Rue Campagne Première, y le cuidaría el sueño, y le filtraría las llamadas por teléfono, y nunca jamás se daría por aludida de cualquier (eventual) exceso alcohólico suyo, y le prepararía, en cambio, substanciosos desayunos, y almuerzos más bien frugales, dietéticos, aunque sabrosos, y en las noches cenarían en los bistrots del barrio, o explorarían otras fórmulas, otros barrios, otras alternativas, y verían películas, e irían una vez por semana al teatro, a la ópera, a conciertos.

—Fueron felices —le dije—, y comieron perdices —y se lo dije sin ironía, con la honesta intención de animarlo, y con la idea, en el fondo, de que el Felipe Díaz temible, infalible, podía haberse terminado para siempre, pero la verdad es que todavía no creía, no me permitía a mí mismo creer ni una sola palabra. Miraba de reojo su expresión, sus manos algo temblorosas (había pedido un té al limón, un *thé citron,* en lugar de una bebida alcohólica), sus ojos que pestañeaban y se desplazaban de una escena callejera a la otra, y me decía que esa decisión que aparentaba haber tomado probablemente era falsa, que el hombre no estaba resignado, que no podía estarlo, que tenía un demonio interior que siempre se lo impediría. A lo mejor, en ese mismo instante, en alguno de los repliegues geológicos de su psiquis, se estaba preparando uno de esos terremotos de grado nueve que lo caracterizaban. Quizás, para sus adentros, se estaba diciendo: voy a conseguirme una vendedora gorda, hediondona, cincuentona, de labios pintarrajeados, de expresión obscena, me la voy a llevar a la casa, y me la voy a follar como en mis mejores tiempos, ante su asombro y su dicha, y después la voy a despedir con modales principescos, con una reverencia y hasta con un regalo, y no voy a volver a verla en mi puta vida. Y esa pequeña hazaña quizás me dé confianza para otras, para muchas otras. ¿Por qué no?

Algo así debía de estar pensando, alguno de sus disparates, y sospecho que puso manos a la obra de inmediato, porque la licenciada había partido a casa de su amiga en Edgar Quinet, frente al cementerio de Charles Baudelaire, del paisano de ella Porfirio Díaz, vecino, había descubierto en alguno de mis paseos, de la tumba de Baudelaire, y de las meditaciones crepusculares de August Strindberg, y viajaría al día siguiente a Basilea, dispuesta a romper para siempre con el joven experto en narratología y otras hierbas, y a regresar a París para reformarle la vida, para transformarlo en un viejo asimilado al orden, tranquilizado, resignado, vale decir, en un viejo cualquiera, un viejo de mierda, y él, que no quería darle más vueltas al tema, que tenía el terreno despejado y la tarde abierta, se puso de pie, con el gesto, calculé, recordé, de los grandes momentos, el gesto de la fiera que olfateaba el olor de la carne en la brisa de la selva, que vislumbraba el brillo de sus frescos racimos, y se despidió con un monosílabo. Lo vi cruzar la calle en dirección al Boulevard Raspail, ¡de cacería, rumbo a los Grandes Almacenes, los *Grands Magasins!*, y reconozco que el animal caminaba con gracia, con elegancia inconfundible, a pesar de que se le notaban los cincuenta y tantos años, y que tenía una manera de llevar la ropa, de ir con la camisa abierta y con un pañuelo de seda al cuello, de calarse un sombrerito liviano y arrugado comprado en uno de los rincones de la Piazza Navona, en Roma, que yo, aunque me hubiera ejercitado durante cien años, no habría podido imitar.

No volví a saber una palabra de él en todo ese caluroso y, por lo caluroso, interminable fin de semana. Lo llamé en la tarde del sábado y después a media mañana del domingo para que se viniera a almorzar con nosotros, a la suerte de la olla, de acuerdo con nuestro antiguo rito, rito que tenía para mí, lo reconozco, un lado de euforia y otro de masoquismo, y sabía, por lo demás, que la suerte de la olla, si venía él, Silvia sabría ingeniárselas para que fuera generosa, pero su teléfono no contestaba, lo cual me hizo suponer que su sesión de caza del sábado por la tarde —emprendida con una mezcla de furor y de voluntad obcecada, y bajo los efectos de la resaca más aguda, puesto que tenía los nervios en mal estado, los «monitos», como se decía en mis tiempos de Iquique, y en el estado aquel se había limitado a tomar un té que debe de haberle sabido de castigo, de amargura— había desembocado en algo, en el holocausto de alguien, quizás en el suyo propio... El silencio del teléfono me revelaba, me insinuaba, por lo menos, que nuestro amigo, en su encrucijada, en su confusión, había hecho un esfuerzo supremo para revertir el orden natural de los fenómenos, para volver de la botella a la mujer, y que había triunfado en forma definitiva, sin apelación posible, y como cualquiera de sus amigos habría podido preverlo, la botella, pero ocurría que Su Majestad la Botella era su evasión, su refugio, y a la vez su destrucción, su suicidio... De modo que las cosas se podían formular de otra manera. Se podía suponer que Felipe Díaz, al término de su larga exploración, de su peregrinación por laberintos cada vez más estrechos y más enredados, había perdido el rumbo y se había extraviado, se había encontrado en los extramuros, a la intemperie, fuera de los recintos cálidos donde nunca había faltado hasta entonces una voz femenina que lo arrullara, una mano que lo arropara. Había ocurrido ahora lo que nunca, en su inconsciencia y en su inocencia, había esperado que ocurriera, y que era, sin embargo, tan esperable como la muerte misma: el Reino de la Mujer, el Eterno Femenino, habían terminado por abandonarlo, por dejarlo tirado en la cuneta, a pesar de que la filósofa, que se había descubierto un alma simultánea de geisha japonesa y de ama de casa jalapeña, estaba decidida a cuidarlo, a meterse adentro de su botella, como había dicho, pero la filósofa, al asumir ese papel, ya no sería lo que él buscaba, lo que se había pasado toda la vida buscando, y encontrando, pensé, tragando saliva, acordándome de la mujer del cuadro, de sus piernas abiertas, de los vellos tirando a colorines de su pubis y del agujero negro de su vagina: un fantasma erótico, un misterio adorable y gozoso, un sueño tocado con la punta de los dedos y nunca alcanzado. Sería, por el contrario, una presencia perturbadora, destructora de su ritmo propio: un estorbo cotidiano. Tan indiferente, habría explicado, con supuesta ingenuidad, Monsieur de Stendhal, como el cuerpo de un hombre. Porque Felipe era, ya lo dije, y estoy convencido, el personaje recurrente de los escritos íntimos, el personaje stendhaliano que sospecho que era el propio Stendhal, el que necesitaba una piel, unos pechos, un tono de voz, y hasta un nombre y una historia personal diferentes, cada noche. De modo que la filósofa, al regresar, se anularía a sí misma, como se anulaba él al quedarse abrazado a la botella, y uno podía colegir, en otro paso de la reflexión, que Felipe, además, que se había propuesto, a fin de cuentas, ser escritor, había cambiado, en definitiva, la escritura, y no por la mujer o por la botella, ¿cuestiones triviales?, sino por aquello que los ingleses llaman el *day dreaming*, el soñar despierto. En lugar de traducirse en obras o en amores, su vida se había disuelto en la nada, en el sueño que era la nada. Su legado único sería un puñado de imágenes: una figura un tanto cansada que cruzaba el Boulevard de Montparnasse, con una elegancia que venía de lugares remotos en el tiempo y en el espacio, del Grange School de Santiago de Chile, del bar Capulín de Providencia, del Club de Polo San Cristóbal, elegancia que había sido desplazada, castigada por los años de militancia en el Partido, y después por París, por la vida intelectual, por la virulenta novedad del anticomunismo, por tantas cosas, desplazada, dije, y hasta castigada, mal mirada, pero no, nunca, eliminada, y bastaba recordar, para comprender la complejidad de todo el asunto, la gracia del sombrerito claro arrugado mientras cruzaba la calle, solo, excéntrico, ajeno, entre turistas de pantalones cortos, rumiando algo, una aventura loca, ¿una venganza?, y si era por eso, ¿qué venganza, de quién, de qué supuestos agravios?

En la tarde del domingo, mientras leíamos bajo nuestras respectivas lámparas, con las ventanas de par en par abiertas, asados de calor, Silvia, en un momento determinado, dejó el libro sobre su falda, sobre sus bonitos muslos, las memorias recientemente publicadas en España de Alfredo Bryce Echenique, escritor que me había sido presentado en un bar de Montparnasse, precisamente, por Felipe Díaz, y suspiró.

—¿En qué andará ese loco de Felipe? —se preguntó en voz alta.

Yo, que leía, fiel a mi obsesión de siempre, a mi condena, un trabajo sobre los archivos secretos del KGB, dije, y lo dije con una carga emocional que me sorprendió a mí mismo, como si se me hubiera estado acumulando durante la lectura, o antes de la lectura, vaya uno a saber:

—¡En qué va a andar Felipe, Silvita, en qué podría andar! ¡Yo creo, francamente, que tú estás enamorada de él!

—¿Yo? Si el que está enamorado de él eres tú. ¡Te lo he dicho tantas veces!

56

Moví la cabeza. No había más respuesta, ni más remedio. Y me dije que el silencio de aquel teléfono, con todo, era un tanto inquietante. Pero, ¿de qué tenía que inquietarme, al fin y al cabo? ¿De las aventurillas postreras de nuestro desaforado, y, en último término, imprevisible, no confiable, desesperado, peligroso amigo?

IV

Viven mal, aquellos que todo el tiempo comienzan a vivir.

Epicuro, citado por Séneca

Lo de imprevisible, desesperado, peligroso, se confirmó muchísimo más temprano que tarde. Tuvo, para espanto del doctor, la más extrema de las confirmaciones. Porque fue el primero en encontrar a Felipe Díaz, el lunes por la noche, y en diagnosticar sin la más mínima duda, a cuatro metros de distancia, antes de haber cruzado el umbral de su dormitorio, cuando el corazón suyo, más anciano, pero vivo, todavía le palpitaba con fuerza, su muerte. Lo había llamado al anochecer Alfredo Arias, un español de las Canarias, amigo de ambos y compañero ocasional de Felipe en trabajos periodísticos. Alfredo estaba muy extrañado porque Felipe no se había presentado en la tarde a cumplir con un compromiso profesional en la Radio Francesa, y era, Felipe, a pesar de todo, a pesar de su alcoholismo, de sus amoríos, de sus caprichos, una de aquellas personas que no fallan nunca, o que no fallan nunca sin avisar con tiempo suficiente, otro rasgo que lo diferenciaba de sus colegas intelectuales o seudointelectuales de América Latina. En su calidad de vecino, amigo y coterráneo, el doctor Illanes, Patricio Illanes, tenía desde hacía largos años copia de las llaves del departamento de Felipe. Abrió un cajón que no abría nunca, encontró las llaves en el lugar de siempre, al fondo, detrás de otros manojos más o menos herrumbrosos, y partió a ver qué pasaba. A Silvia, su mujer, que se había encerrado en su dormitorio a ver una película, le dijo con vaguedad que iba un rato a casa de Felipe Díaz y que regresaba pronto. Después de pulsar la clave de Felipe, el 13A4, en la puerta de calle de Campagne Première y antes de colocar la llave en la cerradura del segundo piso a la izquierda del ascensor, no sin haber golpeado antes un par de veces y haber tocado el timbre, tuvo una rápida, fulminante intuición. Felipe no podía concebir la idea de vivir retirado, en cuarteles de invierno, y menos al cuidado de su amiga mexicano japonesa, filósofa que había demostrado, en su empeño por instalarse en su departamento de Campagne Première y por acompañarlo en su vejez, un corazón de oro, sin duda, pero una filosofía escasa. Había partido de cacería, Felipe, aquel sábado (ahora estaban a lunes en la noche), y había seducido, en efecto, supuso el doctor, a alguna vendedora del Bon Marché, no, quizás, una gorda cincuentona, obscena, pintarrajeada, como se había imaginado en un comienzo, sino una jovencita alta, musculosa, no del todo fea, como se imaginaba ahora, y que habría, por ejemplo, llegado recién de Barcelona, donde habría ido a residir unos meses para aprender el español (primer motivo de conversación: escogiste mal el sitio, a Barcelona se podría ir para aprender el catalán, *el català, neneta, xiqueta!*), y que se habría mostrado encantada, de pronto, al cabo de breves tanteos, de algunas bromas, de un par de piropos en buen castellano, de practicar el idioma con un señor interesante, y que venía de tierras parecidas, e incluso más lejanas, mucho más exóticas. *C'est où, le Chili?*, habría preguntado, supuso el doctor, la francesita, y él, Felipe, habría respondido que le iba a contestar en detalle. El doctor movió la cabeza, entre divertido y abrumado, impresionado. Detrás de la serenidad burlona de su amigo Felipe Díaz se había abierto un abismo. ¿Séneca dónde había quedado? Las cosas habrían terminado, se imaginó el doctor, muy tarde, con Felipe Díaz borracho, borrachísimo, vomitando en la alfombra mísera, delgada y deshilachada, de una *chambre de bonne* del barrio de Clichy, vomitando el alma, como se decía en Iquique y en Santiago, y pensando que se moría de un minuto a otro, que su tiempo en la superficie de la tierra se había terminado, que los plazos se habían cumplido (pensaba eso desde hacía tres o cuatro días, desde la reiteración de sus fracasos sexuales con la filósofa, y nadie, como quedó demostrado, se lo habría podido quitar de la cabeza), mientras la francesita recién llegada de Cataluña, aprendiz de vendedora y de hispanoparlante, transformada en Furia, en Gorgona, desnuda, con los pelos del pubis enroscados, lo insultaba, lo insultaría, con los recursos más soeces de la lengua suya, le pegaría a todo lo que daba con el taco de un zapato en la cabeza, le diría que se fuera a la mierda, ¡a la puta mierda de donde había salido, el viejo inmundo, impotente, miserable!

—A partir de ahí —musitó el doctor— o de algo muy parecido, porque tiene que haber sido algo muy parecido, podemos imaginarlo y comprenderlo todo. Yo, por lo menos, comprendo a la perfección la reacción de Felipe. Nunca me habría colocado en una situación así, no tengo el temperamento adecuado, y tampoco tengo, supongo, los cojones, pero en la hipótesis de que hubiera llegado a esa situación, a esos extremos, mi reacción probablemente habría sido la misma.

—¿La reacción final, dices?

—¡La reacción final!

—Si hacerlo hubiera estado en tus manos, ¿lo habrías ayudado a morir...? Te lo pregunto por mí —agregó Alfredo Arias, quien había aparecido en Campagne Première tres cuartos de hora más tarde—: Nunca está de más saberlo.

—Traté de ayudarlo a vivir, muchas veces, y no me hizo ni pito de caso —dijo el doctor—: El demostró, en cambio, que en el arte de morir no necesitaba lecciones de nadie. ¿No observaste la preparación, el cuidado, la limpieza...? ¿El estilo?

—¡Cómo hablas así! —exclamó Silvia, y el doctor tascó el freno.

Felipe Díaz, suponía él, había llegado a su casa inmundo, con restos de vómito en la ropa, desgreñado, pálido como un muerto, con barba de treinta horas, con paso incierto, con ojos vidriosos, convencido de que su vida, o la forma de vida en que había consistido hasta ahora su vida, se había terminado. Veía la decisión de la filósofa como una broma de un gusto detestable. Además, en el momento en que metía con mano temblorosa la llave en la cerradura de su departamento, la filósofa, la habitante del mejor de los mundos posibles, la mexicano japonesa de cintura de avispa y de tetiellas como manzaniellas se había convertido, ya, en irrealidad pura, en entelequia, en humo. ¿Había existido alguna vez, cabía preguntarse, la filósofa mexicano japonesa?

Entró en la pieza predilecta de sus últimos veinte años, abrió la ventana de par en par, dejando que circulara a raudales el aire caliente —París, en ese acto final, se había convertido en una ciudad tropical, del Caribe o de la península de Indochina—, se sirvió un Johnny Walker etiqueta negra bien cargado, diciéndose que cuidarlo, y cuidarse, ya no tenía sentido, y se sentó en su sillón de lectura y de siesta, el gran sillón de sus años maduros. Después de un rato se puso (se habrá puesto, pensó el doctor) de pie, abrió un cajón con llave, el de las fotografías de sus mujeres, el de sus mayores secretos (el doctor encontró el cajón abierto, con la llave puesta en la cerradura y el ma-

65

nojo colgando, y tuvo el cuidado de cerrarlo y de colocar el manojo en el velador, su sitio acostumbrado), sacó un sobre, pero no, esta vez, repleto de tarjetas postales o de retratos femeninos, y colocó unos polvos de cocaína sobre una repisa de madera oscura, frente a su colección de la Biblioteca de la Pléiade, que no estaba completa, pero que ocupaba, de todos modos, tres filas enteras. Podríamos suponer que dedicó un par de minutos a recorrer las fotografías, pero esto no es nada de seguro. El capítulo de las mujeres, a ritmo de amenazas de felicidad doméstica, por un lado, y, por el otro, de vómitos en una alfombra, zapatazos en la cabeza, había sido, suponemos, suponía el doctor, y lo suponía sin amenidad, sin alivio, bruscamente cancelado. Miró, en cambio, extasiado, el contraste de los polvos albos con la madera oscura y con las cubiertas blancas de las obras de Spinoza, de Pascal, de Montaigne, de tres tomos de la correspondencia de Stendhal. Le parecería que el blanco frío, el marrón muy oscuro, y el blanco marfileño, convexo, de los lomos colocados en línea, formaban una graduación simplemente perfecta, de naturaleza divina, sensación demencial que lo llevó, que lo habrá llevado, a preguntarse si no se habría vuelto loco. Se habrá alejado del estante sin tocar la cocaína, que sólo había puesto allí (creía el doctor) por si se hacía necesaria en alguno de los pasos siguientes (y porque ya no había que cuidar o medir nada, libertad espléndida, sólo que duraría demasiado poco). Bebió, bebería, la mitad de su whisky, que muy probablemente le pareció, se dijo el doctor, a estas alturas decisivas de su vida, y sólo a estas alturas, insípido, y se quedó profundamente dormido. Despertaría una hora más tarde y el vaso estaría caído en el suelo (como lo encontró el doctor), con los cubos de hielo transformados en pequeñas pozas de agua sobre las tablas irregulares, mal enceradas. Fue a buscar, entonces, supuso, un vaso largo, que no usaba nunca, porque prefería los vasos bajos, de cristal grueso y pesado, de fondo sólido (sibaritismos de ex alumno del Grange School, de hijo del Barrio Alto de Santiago, que nunca terminaban de asombrar, de fascinar, incluso, a su amigo el médico iquiqueño, el doctor Patricio Illanes, quien no pudo menos que cavilar sobre la diferencia entre el vaso caído y el otro, el largo, todavía lleno hasta la mitad), y lo llenó, lo llenaría, de etiqueta negra hasta los bordes, agregando un par de cubos de hielo y un dedo de agua Perrier (abrió una botella nueva de Perrier, para que el gas tuviera toda su fuerza, y porque tampoco, por supuesto, había necesidad de cuidar el agua. Eso fue, por lo menos, lo que dedujo el doctor al ver las dos botellas grandes, de 75 centilitros, abiertas y casi enteras). Enseguida, con decisión, con tranquilidad, con algo, ¡qué duda cabía!, de su clásica parsimonia, con un despliegue postrero, para una galería invisible, de su elegancia de movimientos, de la seducción infalible de su sonrisa, fue al baño y sacó del botiquín el frasco de píldoras fuertes para dormir, las que le había recetado el propio doctor en medio de reiteradas y severas advertencias («Mira que una sobredosis de estas pildoritas te manda al tiro p'al otro mundo»).

Quizás se habrá dicho, se dijo el doctor, en ese momento decisivo, contemplando el frasco de píldoras, contemplándolo y contemplándose, que era el perfecto ejemplo del intelectual fracasado. Alguna vez, en alguna sobremesa de domingo, en uno de aquellos arrebatos confesionales que irritaban tanto a Silvia, había salido a relucir, con perfecta crueldad, sin la más mínima concesión, el tema, enriquecido con una ingeniosa disquisición sobre las diferencias, culturales, morales, políticas, e incluso estéticas y sociales, entre el intelectual fracasado y el intelectual barato. El doctor Illanes, bien instalado en un conjunto global de convicciones, siempre había sospechado que Felipe sentía la tentación irresistible del fracaso, de lo postrero.

«Fracasado, sí», habrá repetido Felipe en voz alta, hablando solo, con el humor negro de sus horas más turbias, dirigiéndose, a lo mejor, a un par de palomas que revoloteaban junto a las rejas de su balconcillo: «barato, ¡jamás!», y habrá lanzado una carcajada estrepitosa y cavernosa, capaz de espantar, pensó el doctor, sonriendo con malignidad, a las susodichas palomas. Después habrá tragado las tres primeras píldoras con ayuda de un solo sorbo de whisky, y habrá dejado caer, enseguida, en el hueco sin duda tembloroso de su mano izquierda, debilitada por la resaca y por el miedo, dándole al frasco sacudones bruscos, torpes, con la derecha, no menos debilitada, siete u ocho píldoras más. Habrá calculado, sospechaba el doctor, que no tenía ninguna necesidad, en ninguna etapa del proceso, de recurrir a la cocaína, la que habría introducido un elemento disociador, ajeno a la combinación más clásica del whisky y de las píldoras, de consecuencias no tan previsibles. El gesto de colocar la raya de polvos blancos en la repisa, junto a Baruch Spinoza, a Michel de Montaigne, a Monsieur de Stendhal, a todos ellos, no había pasado, en dicho caso, de constituir un signo estético, aparte de implicar, a lo mejor, un mensaje decadente, un saludo a la farra, a Montparnasse, a la noche, con un eco lejano, intuyó el doctor, de tango de Carlos Gardel y verso de Rubén Darío.

Así se había imaginado las cosas el doctor Patricio Illanes, y así, con esa estricta coherencia, como seguidor aplicado que era de Maigret, de Sherlock Holmes, de Hércules Poirot, había deducido los detalles: el vaso largo, contrario a los hábitos de su amigo, que conocía, o creía conocer, a la perfección, y las dos botellas de Perrier grandes y casi llenas (habrá tenido un recuerdo, se dijo, para *Cotapós),* y los polvos de cocaína, alineados en la repisa con prolijidad, en un rincón en que no los alcanzaba la posible brisa de la calle, y no aspirados. Lo único que lo tomó de sorpresa, en ese anochecer sombrío y singular del día lunes en que entró al departamento de Felipe y lo encontró muerto, fue el llanto histérico, desconsolado, de Silvia, que al no sentirlo regresar después de más de una hora había cortado su película, había partido en busca suya, lo había visto junto al cuerpo inerte de Felipe, a la boca entreabierta, a la frente exangüe, sin estar preparada, y sin advertir que Alfredo Arias estaba en la habitación de al lado, o sin importarle un comino que estuviera, y había perdido todo control. Porque él no ignoraba, desde luego, no ignoraba del todo, y desde hacía mucho tiempo, la debilidad de Silvia, y más de alguna vez había tenido sospechas, sentimientos insidiosos, incómodos, que se renovaban cada vez que observaba en el terreno, en acción, la capacidad de seducción y la perfecta falta de escrúpulos de Felipe Díaz, pero nunca, jamás en su vida, se habría imaginado que Silvia, la serena, sonriente, burlona Silvia, pudiera perder los estribos de aquella manera tan evidente. No era, sin duda, que estuviera impresionada, al borde de un ataque de nervios, por el espectáculo de un cadáver, del cadáver de un suicida. No tenía, Silvia, ese tipo de fragilidad. Su llanto, ajeno a la cercanía de Alfredo Arias, y ajeno a él mismo, a toda noción de cautela, y hasta de qué dirán, de pudor, era un lamento inédito, diferente, profundo: salía de las entrañas de una mujer que él creía conocer al revés y al derecho, y que en realidad no conocía, o que había comenzado a conocer sólo ahora, tarde, y sin remedio. ¿Quedaba confirmado, entonces, oleado y sacramentado, que Silvia y Felipe habían sido amantes? ¿Y por cuánto tiempo, y en qué circunstancias, y cómo se las habían ingeniado para engañarlo, para traicionarlo bajo sus propias barbas, porque si la palabra traición no se aplicaba en ese caso preciso, traición con alevosía, jugando con la amistad, con la comedia de la sinceridad, con la mentirosa verdad, cuándo diablos se aplicaba?

El doctor observó de soslayo los ojos enrojecidos, la mirada de ternura desgarrada, intensa, ¡de amor!, porque no era de ninguna otra cosa, que dirigía Silvia a la cabeza inerte de Felipe, y sus dudas, que hasta entonces se habían mantenido, a pesar de las apariencias, y lo habían protegido, le habían ofrecido una permanente puerta de escape, terminaron de disiparse. Estuvo a punto, en su desconcierto, en su repentino descalabro, porque se había preparado, cuando bajaba a la calle, cuando manoseaba en el bolsillo la réplica de las llaves, para cualquier cosa menos para eso, de preguntarle, de lanzarle una pregunta a boca de jarro, pero se contuvo. Silvia, agredida, se habría defendido con astucia, con la astucia que ahora, en rápida revisión retrospectiva, comprobaba que había sido habitual en ella: le habría dado una explicación que no lo habría convencido, pero que lo habría neutralizado, lo habría mareado, y habría quedado

71

prevenida, avisada, dedicada a borrar huellas. El, ahora, tenía que jugar con la cabeza. No le quedaba más remedio. Tenía que emplear la misma astucia de Silvia, o convertirse, de lo contrario, en monigote suyo, y saber menos de Felipe y de ella que la *concierge*, que el último hijo de vecino. ¡Como los cornudos de todas las edades!

—¿Le ha pasado algo a Monsieur Díaz? —preguntó justamente la *concierge*, saliendo de su cubículo al zaguán oscuro de la salida del inmueble, con buena capacidad de adivinación, quizás con qué antecedentes que ellos no conocían, y el doctor tuvo que explicarle. El haría unos llamados, avisaría a la policía, al consulado, a los amigos.

—*Ne vous inquiétez pas, Madame Larousse.*

Hacía tiempo que sabía que se llamaba Madame Larousse. Solían hacer bromas al respecto con Felipe. «Voy a consultar a mi Madame Larousse», decía de repente Felipe, sin reírse en lo más mínimo, y las personas que no estaban en el secreto miraban, perplejas.

—Me siento mal —murmuró el doctor al entrar a su casa, palpándose el lugar del corazón, con la boca reseca, con la saliva áspera, y se sirvió un dedo de la botella que siempre guardaba por si Felipe Díaz llegaba de visita, puesto que él no bebía nunca.

—Dame a mí, también —pidió Silvia, y él, con el automatismo de su galantería del Iquique antiguo, le indicó ahora que se sirviera ella, él no tenía fuerzas para nada—. ¡Pobrecito! —exclamó Silvia, después de beber el primer sorbo—: Felipe te va a hacer tanta falta.

¡Cuánta falta me va a hacer!, pensó él, ¡y cuánta te va a hacer a ti!, y después se dijo: ¡Fin de semana de mierda! Porque había perdido a su mejor amigo, y lo había perdido para el futuro, para los pocos años o meses que le quedaban a él, que ahora veía más breves, más sombríos, y para el pasado, para la memoria, lo cual en cierto modo era peor, puesto que su descubrimiento de hacía un rato convertiría los recuerdos alegres, las andanzas festivas, las interminables conversaciones, las anécdotas, los chistes, en sarcasmo, en pestilencia. Ahora sí que comprendía las bromitas de Silvia. ¡Cómo habían servido para disimular, para desorientar! Si sus sospechas, abrumadoras, desde luego, pero que habría que revisar a la luz del día, en circunstancias más normales, se confirmaban, ¡qué Hija de la Grandísima Puta sería, resultaría ser, habría sido, y él, qué estúpido, en el amor, en la amistad, en la política, en las cuestiones de plata, en todo, siempre confiado, siempre en Babia!

V

Nos dejamos llevar por el soplo más mínimo.

Séneca

El martes por la mañana la observé con la máxima atención, con un grado de atención que nunca, desde que la conocí hace alrededor de treinta años, cuando ella estaba en sus increíbles veintitantos (siempre, habría dicho Alfredo Arias, cuando se los mira con la perspectiva de los sesenta o de los setenta, son increíbles), y yo en mis verdes cuarentas, había puesto en ella. Me parece que ella no se dio cuenta. Si notó algo raro en mí, lo atribuyó, supongo, a los sucesos de la víspera. Ella, por su parte, se veía estragada, muy cansada de aspecto, pero no se le podía dar a eso una interpretación especial. Habíamos dormido mal, ella y yo, como era, como no podía ser más lógico. Voy a tener que armarme de paciencia, de una larga paciencia, me dije, y observarla en circunstancias diferentes, normales y anormales, sin abandonar jamás el estado de alerta máxima. Había notado en los últimos meses que mi frescura intelectual decaía en las tardes, que mi capacidad de atención y mi memoria mostraban síntomas de cansancio, pero ahora tendría que hacer un esfuerzo de voluntad permanente. Es lo que se llama, pensé, sacar fuerzas de flaqueza, de una flaqueza, había que reconocerlo, cada día más abrumadora.

Por la tarde fuimos al velorio, a unas oficinas lúgubres del gremio de los periodistas, donde tenían el ataúd colocado sobre una mesa cualquiera cubierta con un paño negro, rodeado de un par de coronas mustias, la de una asociación chilena, la de una mutualidad francesa de alguna clase, y sin mayores ornamentos. Al fondo de un corredor escribían a máquina en una sala y se escuchaba de vez en cuando un teléfono, una voz somnolienta que respondía. Pasaban con paso firme hombres con las camisas arremangadas, secretarias anteojudas, gordotas, y se limitaban a echar una mirada rápida, deliberadamente neutra, a la sala fúnebre. Silvia hizo una observación curiosa, que no revelaba nada, desde luego, nada de lo que me interesaba, pero que me pareció, de todos modos, curiosa. Dijo que los funerales sin curas, sin ornamentos religiosos, sin liturgia, sin cánticos, eran de una tristeza, de una mezquindad, corrigió, casi imposible de resistir.

—¿Me quieres decir que deberíamos terminar de católicos?

Ella miró el ataúd, miró los muros sucios, resquebrajados, las manchas de la pintura, las seis o siete personas amigas que se habían reunido: el Gordo Manzano, Abelardo Manzano, y tres o cuatro chilenos más; Alfredo Arias, nuestro amigo español, que tenía la extravagancia de haber nacido en la isla de Lanzarote; un poeta de Guatemala; una ex amante francesa de Felipe, Madame Léotard, que se había convertido en amiga fiel, ayudadora, generosa... Miró todo eso, Silvia, y se encogió de hombros.

—A mí —dijo— dame una misa con tres curas, con canto gregoriano, con incienso, con coronas de flores, con crespones fúnebres...

—Y si ya estás muerta, ¡qué te importa!

—A mí me importa —respondió Silvia—: ¡Sí que me importa!

Me pregunté si esa reacción, entre voluntariosa e irritada, agresiva, no revelaba una emoción, un trastorno que Silvia había disimulado todo el tiempo, pero que tenía raíces sumergidas. Es posible que Madame Léotard, me dije, que debe de haber pasado de la condición de amante a la de confidente, sepa algo, y me propuse buscar algún pretexto para volver a verla. Alfredo Arias, que era un solterón mujeriego al estilo de Felipe, con algún remoto matrimonio en la espalda, también debía de haber pizpado alguna cosa, y puede que más de alguna. Y Abelardo Manzano, el Gordo, con sus amigos socialistas, buenos para la tertulia y para el vino tinto, quizás. ¡Quizás, quizás! Invocaría el pretexto de la amistad, de los recuerdos comunes, que no eran un mal pretexto, después de todo, y por ahí aprovecharía para entrar en materia.

En el entierro, más insulso todavía y más mezquino, como habría dicho Silvia, que el velorio, puesto que consistió en trasladar el ataúd el día miércoles por la mañana, sin misa de difuntos, sin homilía, sin responsos, en un furgón negro, un Peugeot anticuado, hasta el cementerio de Ivry, lugar connotado de los suburbios rojos de París, como si la conversión anticomunista de Felipe Díaz no contara, como si la antigua militancia le hubiera imprimido carácter para siempre, para la eternidad, porque su deserción, cuando los comunistas estábamos fuertes, había sido un escándalo, pero ahora, cuando el horno, el horno comunista, se entiende, no estaba para bollos, preferíamos olvidarla, y recordar, en cambio, los tiempos legendarios de la fidelidad, de la disciplina; en ese viaje en furgón, con los pies por delante, y en esa despedida sórdida, en la que el rápido ceremonial era cumplido por funcionarios municipales que alargaban la mano, militantes o no militantes, con o sin carnet del Partido, para que les dieran su propina, Silvia, que había ido con traje de sastre gris, con peinado de peluquería, muy compuesta, no resistió y echó unos lagrimones gruesos, que le rodaron por las mejillas fatigadas. El detalle, claro está, no demostraba nada. Madame Léotard, ex amante comprobada, amiga fiel, tuvo que recurrir a un pañuelito de encaje, y hasta Manzano, el Gordo, en memoria de quizás qué parrandas, qué aventuras, qué chascarros, hacía pucheros, mientras Alfredo Arias se veía pálido, atildado, melan-

80

cólico, pensando, daba la impresión, con los ojos brillantes y algo hundidos, en sí mismo, en su propio destino. Confieso que sentí, a pesar del lastre turbio que llevaba, un cosquilleo en los ojos, y que miré para otro lado, no sé si por contagio o porque el sentimiento de amistad, por encima de las sospechas, y por absurdo que fuera, perduraba. Al día siguiente del entierro, el jueves, después del almuerzo, apenas Silvia se encerró en el dormitorio para dormir su siesta, salí a la calle en puntillas, en mangas de camisa, porque el calor era insoportable, y con las llaves del departamento de Felipe sólidamente empuñadas en la palma sudorosa de la mano derecha. Me sentía molesto, culpable de una transgresión no bien definida, pero dominado por un propósito irresistible. Hice el código de la puerta de calle, ya que los franceses, como se sabe, tienen la obsesión de la seguridad, y en mi agenda hay más claves secretas que direcciones; pasé por el zaguán sin notar movimiento alguno en los dominios de Madame Larousse, introduje la llave en el departamento del segundo piso, cerré a mi espalda, y en la penumbra, en el silencio, en los recuerdos de mi ex amigo difunto, de mi posible enemigo póstumo y hasta retrospectivo, tuve la sensación molesta de haberme convertido en un ladrón, peor que eso, en un profanador de tumbas. No hice, sin embargo, el menor amago de retirarme. No vacilé, a pesar de mi mala conciencia, ni un solo segundo. Mi necesidad de saber arrasaba con cualquier escrúpulo, incluso con el sentimiento del ridículo, lo cual es mucho decir para una persona que ha nacido en Iquique, en aquella parte de la angosta faja chilena.

Cerré las cortinas, que ya estaban a medio cerrar, con el mayor cuidado, y busqué el manojo de llaves que conocía, el que yo mismo había devuelto a su sitio, al comienzo de esa semana que no terminaba nunca, y que siempre estaba guardado en el velador de Felipe. El manojo, desde luego, seguía en su sitio. La terrible, interminable semana no tenía por qué haberlo cambiado. Con la llave pequeña, gastada, abrí el cajón de los secretos. Estaba en un escritorio desvencijado, arrimado a la pared de la sala de estar. Había vivido, me dije, a pesar de sus rumbos, de sus conquistas, de sus etiquetas negras, con modestia. Las acusaciones del Partido después de su alejamiento, como era habitual en aquellos casos, parte del ritual de las expulsiones, habían sido calumniosas, perfectamente infundadas. Menos mal que Silvia y yo, por lo menos, me dije, nos quedamos callados, y que lo seguimos viendo, aunque en los primeros tiempos en forma discreta (detalle que él, por delicadeza, aceptaba sin comentarios), y comprendí, no pude menos que comprender, que Silvia, la Silvia que yo no conocía, con su astucia y su terquedad, se las había ingeniado para que así fuera. ¡Me había manejado, la Silvia! ¡Nos había manejado, y con la punta del dedo chico!

En el cajón había unas cuantas cartas, ninguna de Silvia, algunas llaves, tarjetas de visita viejas, amarillentas, y un bulto grande, que había que aplastar para que el cajón cerrara, de fotografías femeninas. ¡Qué coleccionista, este Felipe!, exclamé para mis adentros, y antes del lunes por la noche me lo habría dicho con risa, con simpatía (y de hecho, el lunes por la noche, antes de que apareciera Silvia y se delatara a sí misma, había visto el cajón abierto y no había sentido ni la menor curiosidad), pero ahora se había mezclado, se había colado, un sentimiento de angustia, incluso un sentimiento de odio. ¡Qué aparición más inoportuna, más desagradable! O me curo de cualquier manera de esta obsesión, pensé, de esta enfermedad, o me muero antes de fin de año. En el bulto había dos clases de fotografías: fotografías regaladas por las interesadas, fotografías tomadas por el propio Felipe. Entre las segundas, las tomadas por él, encontré poses insinuantes, divertidas, obscenas, grotescas, absurdas, románticas, y unos cuantos desnudos bastante mal fotografiados. Me pregunté si la filósofa había alcanzado a entrar en esta serie, en esta categoría probablemente superior, y busqué una cintura de avispa, como decía él, rematada en unos pechos perfectos y coronada por rasgos orientales. No había nada que cuadrara con esa descripción. Encontré, en cambio, una mujer más bien regordeta, bien formada, de cara hundida debajo de las sábanas en desorden y de piernas abiertas, un sexo femenino fotografiado en prime-rísimo plano, curiosamente parecido a *El origen del mundo*, el cuadro de Gustave Courbet que Silvia y yo acabábamos de visitar, y que había sido expuesto después de más de un siglo en el Museo de Orsay. Sentí violentas palpitaciones, contemplé a la mujer con fascinación, encandilado, y levanté la vista por encima del sexo, como quien dice, para ver si no era Silvia. Ya había tenido una idea extraña, confusa, al mirar el cuadro en el museo, y esa idea, como la imagen de un sueño, volvía. Creo que no era Silvia, quise suponer, por lo menos, que no lo era, pero se produjo una coincidencia terrible, que durante largos minutos no pude soportar. Me flaquearon las piernas, y pensé que de repente me iba a caer al suelo, fulminado. Debajo de aquella réplica mal fotografiada, pero no mal pensada, de *El origen del mundo,* réplica probablemente inconsciente, simple coincidencia con aquel supuesto modelo, encontré una pequeña fotografía de tamaño carnet, torpemente despegada de un documento viejo.

—¡Silvia! —exclamé en voz alta, intensamente pálido, tembloroso, con el pulso acelerado a mil, con la boca seca.

Me eché la fotografía al bolsillo, ordené el cajón de los secretos, lo cerré, dejé el manojo de llaves en su sitio y entreabrí las cortinas, tal como estaban antes. Era un tipo extraño de ladrón: justificado hasta cierto punto ante la norma legal, y a la vez abrumado, desesperado por el botín. El calor aplastante de la calle me hizo sentir que estaba muy mal, que quizás había sufrido un síncope cardíaco sin darme cuenta. Calculé que no sería capaz de llegar a la casa, que sería sorprendido con las pruebas de mi delito, de mi torpe, ridículo delito, en el bolsillo. ¡Qué muerte más disparatada! Conseguí llegar, sin embargo, tambaleándome, sudando sin sudar, sin líquido. La vejez, me dije, y me lo dije sin la menor amenidad, como médico y hombre de ciencias aficionado, consiste, entre otras cosas, en una disminución drástica de las secreciones, ¡un disecarse por dentro! Silvia, extrañada de no sentirme en la cama a su lado, había despertado de su siesta. No eran más de las cuatro de la tarde. Yo, ahora, habría querido levantarle las sábanas, taparle la cara, sacarle los calzones, separarle las piernas, y ponerme a un metro de distancia, hincado en el suelo, para contemplar, ¡y para comparar, y hasta para sacarle fotografías!

—¿Qué hacías en la calle a esta hora? —preguntó ella, ajena, claro está, a mis deseos, y preocupada, porque nada podía ser más contrario a mis costumbres que andar saliendo y entrando a esas horas y en plena canícula.

—Terminé mi libro sobre el KGB —le dije— y salí a buscar otras publicaciones sobre el mismo tema.

—La obsesión comunista te ha vuelto loco —sentenció Silvia—: Terminará por matarte.

—Sin necesidad de una condena —respondí.

85

—Nunca fue necesario condenar a todo el mundo —contestó ella—: Con torturar, sentenciar, liquidar a unos pocos bastaba.

—Parece que Pinochet hubiera aprendido la lección —dije, por decir algo.

—Al lado de ellos, de Stalin y de sus secuaces, Pinochet ha sido un niño de teta —dictaminó Silvia desde la penumbra.

Eran las cosas que decía Felipe, y comprendí que Silvia, en vida de Felipe, callaba, y que ahora, en su ausencia, había tomado el relevo. ¡Otro indicio más, por si hiciera falta! Yo, entretanto, en el cuarto de baño, con la puerta abierta, había sacado la fotografía de tamaño carnet, el retrato juvenil, borroso, de Silvia, y no podía dejar de contemplarla, de admirar la belleza de sus ojos de aquellos años, de la que todavía conservaba restos, de su frente bombeada.

—Porque el camarada Stalin —continuaba ella, en su porfiada representación de Felipe Díaz, sin poder figurarse ni por un solo instante que yo tenía en las manos una imagen delatora— se había metido en la cabeza de todos nosotros. Se había transformado en una simple proyección nuestra.

—¡Mansa qué proyección! —dije, recordando de repente, quizás por qué, la manera de hablar de los iquiqueños, y colocando la foto frente al espejo iluminado.

—El único que se liberó a tiempo —comentó Silvia— fue Felipe.

—Porque era mucho más cínico que nosotros.

—¡No es verdad! —respondió la voz de la penumbra, con firmeza, con energía inusitada—: Era más lúcido, más independiente, ¡menos cobarde! Está empezando a ponerse en descubierto, me dije, enloquecido, bajando la fotografía y apretándola en el puño, y sintiendo, mientras la apretaba, cosa extraña, algo muy parecido a la excitación sexual: ¡la muy yegua! Sigamos por este mismo camino, pensé, y pronto lo sabremos todo.

VI

Son más, Lucilio, las cosas que nos atemorizan que las que nos atormentan, y sufrimos más a menudo por lo que imaginamos que por lo que sucede en la realidad.

Séneca

Esa misma tarde llamé por teléfono a Alfredo Arias. Respondió, como de costumbre, su contestador automático, en el estilo perentorio propio de su dueño, y enseguida, cuando reconoció mi voz, levantó el fono. Le dije que tenía que conversar con él, «con cierta urgencia», y le pedí que nos encontráramos en la librería La Hune de Saint-Germain-des-Prés, en la sección de clásicos franceses.

—Frente a las *Memorias de ultratumba* —precisé, con humor lúgubre, y le adelanté mi intención de que habláramos de Felipe.

¿De Felipe? Creo que la idea le pareció un poco rara. Así, por lo menos, interpreté su silencio prolongado en el teléfono. Pero Alfredo Arias, aparte de otras virtudes y de uno que otro defecto, era hombre amable, avenible, que hacía esfuerzos para no decepcionar a sus amigos, y apareció en La Hune, frente a las obras de Corneille y a las del Vizconde de Chateaubriand, a las siete de la tarde en punto. ¡En el lugar preciso y a la hora exacta!

—¡Qué coincidencia! —me dijo—. Estoy con antojo de leer las *Memorias de ultratumba*. No sé por qué.

—Yo me siento inclinado, más bien —comenté, con la cara chueca, y sabiendo a la perfección por qué—, a entrar en el Marqués de Sade —afirmación que él no estaba en condiciones de entender en todos sus matices, pero que tomó con sentido del humor.

—¡Para tu edad —exclamó, golpeándome un hombro— no está mal!

Salimos de la librería y nos sentamos en la terraza del Deux Magots, frente a la torre de la iglesia de Saint-Germain, que nunca me canso de admirar, que se perfilaba, a esa hora, en su sencillez medieval, teológica, contra un cielo soleado y moteado de nubes blancas.

—¿De dónde son ustedes? —preguntó el mozo, en mal castellano.

—De las Canarias —dije, señalando a Alfredo, y el lugar, sin duda, no figuraba en los libros de nuestro espontáneo interlocutor— y de Iquique, del norte de Chile.

—¡Chili! —exclamó el mozo, con la evidente alegría de reconocer algo—: A mí me gusta mucho bailar la salsa.

—A mí, no —dije.

—A mí, tampoco —dijo Alfredo.

Se fue el mozo, supongo que decepcionado por nuestro insuficiente exotismo, y yo, después de vagos preámbulos, de observaciones triviales sobre la arquitectura de la iglesia, sobre el clima, sobre los turistas japoneses, tomé pie con firmeza en el tema de la edad. Uno creía que las obsesiones, las pasiones, los celos, los famosos fantasmas eróticos, se iban a terminar con los años. Yo, por lo menos, a los cuarenta, había estado seguro de que se terminarían a los cincuenta. Y a los cincuenta, de que se terminarían a los sesenta. Y después, a los setenta... Ahora, en cambio, podía apostar mi cabeza, mi afiebrada cabeza, a que no se terminarían nunca. Ni a los ochenta. ¡Ni a los doscientos años!

—¡Así es! —concordó Alfredo, con aire de resignación.

—¡Y así será!

Primero disminuía la capacidad de acción. ¡La máquina! Y en la etapa siguiente, la capacidad de seducción, que creíamos, o que pretendíamos creer, que duraría tanto como nosotros mismos. ¡Tanto, y tan poco! Pero el caso es que fallaba la chispa, como si la piedra del encendedor se hubiera gastado, y los movimientos del cuerpo, los gestos, se volvían torpones. Los fantasmas, sin embargo, los entes profundos, habitantes extraños del inconsciente, seguían ahí, donde mismo, vivitos y coleando, echando humito.

Alfredo Arias lanzó un gran suspiro. Lo lanzó con la extroversión y con la falta de complejos de la gente de su tierra. Había pedido un agua Perrier, después de confesarme que se estaba cuidando, de afirmar con la más completa convicción que a estas alturas de la vida había que proteger esa máquina de la que yo había hablado, y yo, de acuerdo con mi propia receta de larga vida, había ordenado la limonada de costumbre.

—Felipe —dije, paladeando mi trago amargo— tenía la manía neurótica de cambiar de mujer todos los días, o todas las semanas...

—¡Qué disparate! —exclamó Alfredo—: ¡Con lo complicadas que son!

—¡Eso es verdad! Llevo casi treinta años casado con la misma, y todavía no termino de conocerla, y de descubrirle complicaciones nuevas, que no había ni soñado.

Calculé que me acercaba al tema, que había llegado al umbral delicado, preciso, y comprobé que, cuando tragaba la limonada sin azúcar, cuando hacía de tripas corazón y cruzaba ese umbral, el pulso de la sangre, y hasta el ritmo de la respiración, se alteraban bruscamente. Algo en mí, en mis resortes últimos, a pesar mío, se aceleraba a mil y se recalentaba. A todo esto, Alfredo me estaba explicando que él tenía una filosofía diferente. Casi contraria. En lugar de tanto cambio, hacía un esfuerzo deliberado para mantener todas las situaciones, ¡todas!, en forma simultánea. A fines de la semana próxima, sin ir más lejos, iba a viajar a Italia a juntarse con una amiga millonaria, dueña de una villa espléndida cerca de Florencia, y que lo convidaba a hacer turismo en primeras clases y en los hoteles más lujosos del planeta, donde siempre tomaba una *suite* para ella, y otra, la más fastuosa de todas, la Presidencial, o la Leonardo da Vinci, o la Salvador Dalí, para él.

—¡Eso es vida! —exclamé, exclamación que jamás habría soltado en mis años de militancia, que ni siquiera se me habría ocurrido, lo cual no habla tan mal, después de todo, de aquellos años, y me dije, a la vez, que Silvia, sin imaginar una palabra de nuestra conversación, estaba en un cuarto estrecho, más bien oscuro, hojeando revistas, o haciendo lo que ahora, en la época de los controles remotos, se llama *zapping,* muerta de lata.

Alfredo, que era bastante mayor que Felipe, que se hallaba entre Felipe y yo, dijo, de repente, sin que se lo hubiera preguntado, que la italiana era tres o cuatro años mayor que él. Lancé un par de exclamaciones de tono subido, con la boca abierta.

—Lo que pasa —explicó, animado, con gestos grandilocuentes, con ojos que brillaban, observado de soslayo por los vecinos de mesa— es que con el dinero que tiene se ha hecho todo de nuevo: las nalgas, el cutis, las tetas, el cuello, ¡hasta las pantorrillas! Ninguna de sus partes es de origen, desde luego —puntualizó, sin el menor asomo de discreción—, pero todas están impecables, perfectas —y las modelaba en el aire con sus manos largas, con sus ojos desorbitados, bajo las miradas del mozo y de los vecinos.

—¡Madame Frankenstein!

—*Voilà!* —gritó él, saltando de la silla—: ¡Ma-

95

dame Frankenstein! —y extendió la palma de la mano derecha con un gesto quebrado, que me recordó, no sé por qué, a un novelista del exilio cubano, un personaje muy gestero, un poco teatral, a quien se solía divisar en el café de al lado, el Flore, un lugar donde la clientela, por así decirlo, era más exagerada, de tintes más subidos.

La extravagancia del asunto era tal, que intuí que había llegado el momento de poner en escena mi propia extravagancia. Bebí otro sorbo amargo, tragué saliva y me lancé. Le había dado cita en La Hune, en realidad, le dije, con un objetivo muy concreto, que a él, quizás, le iba a parecer absurdo, de muy mal gusto, incluso, pero que tenía, para mí, una importancia vital, y puesto que él era amigo mío...

—Vas a creer que estoy enfermo, que estoy loco de remate, y lo más probable, ¿sabes una cosa?, lo más probable es que tengas razón, pero la única manera de curarme de esta enfermedad es que me digas la verdad, toda la verdad, por dura, por cruda, por cruel que sea para mí. ¿Vas a ser capaz de decírmela?

Mientras yo hablaba, Alfredo Arias se había puesto serio. Había comprendido, me imagino, por el tono de mi voz, por mi dificultad para encontrar las palabras, que mi enfermedad, mi manía, mi locura, el nombre daba lo mismo, no era ninguna broma. Se había puesto serio y lo había dominado, a pesar suyo, una expresión de sorpresa infantil y a la vez, aunque parezca raro, de miedo. Era un niño calvo y viejo, de ojos hundidos, de manos huesudas, que me miraba de reojo, con un reflejo amarillento, asustadizo, asomado en las pupilas. Yo me dije, no sé si con o sin razón, que ese lado infantil de su personalidad podía convenirme. Podía permitir que me hablara sin cálculo, sin medir las consecuencias, sin un respeto humano excesivo.

—Quiero saber —comencé, mirando la torre descarnada de la iglesia, las nubes como algodones, con la lengua estropajosa, con el pulso acelerado—, tú que conociste tan bien a Felipe, tú que siempre le escuchabas sus historias de faldas y que te divertías, te reías con ellas a carcajadas, si Silvia, oye lo que te digo, si Silvia, mi mujer, y te lo pregunto como amigo, con la confianza de la amistad, y porque necesito que me des una respuesta verdadera, sin mentiras piadosas, si fue o no fue, Silvia, amante suya, de Felipe. Quiero que me lo cuentes, Alfredo. Mejor dicho, necesito, y que me lo cuentes sin omitir nada, con todo el lujo de los detalles con que él, sin duda, te lo habrá contado... Es una petición un poco extraña, dirás tú, del peor gusto, un poco perversa, quizás, pero... Estoy en un conflicto terrible, en un estado de inquietud que me come vivo, que no me deja dormir una sola pestañada, y sólo la verdad, la verdad sin concesiones, contada por un amigo de confianza, podría calmarme...

Alfredo llamó al mozo y pidió, en flagrante infracción de su régimen tan proclamado, un whisky doble con hielo. Temí que mi golpe, mi pregunta impúdica y lanzada a pleno plexo solar, hubiera fallado. Después del primer sorbo, Alfredo movió los músculos de la boca, esperó que se le secaran los labios y me dijo, con expresión que me pareció de incomodidad suma, de hipocresía contraria a sus hábitos, a nuestros hábitos, y por lo mismo, para él y para mí, vergonzosa y hasta dolorosa, que jamás, nunca, ¡en la vida!, le había escuchado a Felipe ni una sola palabra sobre Silvia. Estaba seguro de que eran puras imaginaciones mías, fantasmas que se me habían metido dentro de la cabeza, para utilizar mi propia expresión, y de ahí, de esa sólida y estólida respuesta, no se movió ni un solo centímetro. Le conté, incluso, colorado hasta las orejas, tartamudo, pero haciendo esfuerzos para sobreponerme, el episodio de mi revisión de las fotografías, mintiendo, eso sí, sobre el tiempo y las circunstancias, diciendo que lo había hecho en vida suya, aprovechando la autoridad que me daba el haber recibido una copia de sus llaves, justificación que no sonó, tengo que admitirlo, nada de convincente.

—¡Yo también podría tener una fotografía de Silvia! —protestó Alfredo, a quien de repente se le había puesto una cara de loco de manicomio—: ¡Y eso no probaría nada!

—Tú a lo mejor no coleccionas las fotografías

de tus amantes, pero él sí, y Silvia, mi mujer, formaba parte de su colección.

Alfredo Arias, que sin duda era pésimo para disimular, miró para otro lado e hizo toda clase de movimientos abruptos, absurdos. Sus articulaciones produjeron verdaderos chasquidos, como si hubiera estado a punto de descoyuntarse.

Yo, entonces, que había entrado en una especie de caída libre, di un paso más, un paso extremo, y en el vacío. Lo di con una sensación de vértigo que no podía controlar. Le dije que había visto en la colección de Felipe una foto de una mujer desnuda, con la cara tapada por las sábanas y las piernas abiertas, en una pose muy parecida a la del cuadro de Courbet en el Museo de Orsay, y que estaba seguro, ¡quién podía reconocerla mejor que yo!, por las formas, por la curvatura especial del vientre, por los muslos, por los mismos pelos vaginales, agregué, con la voz enredada en mucosidades, en telarañas, de que era Silvia hace unos veinte años, a sus maduros y estupendos treinta y tantos.

—¿Pero no dices que estaba con la cara tapada? —protestó Alfredo, desencajado, con los mismos ojos desorbitados de hacía un rato.

—Sí. Estaba. Pero... —y moví las dos manos, como diciendo: ¡Piensa un poco! Y diciendo, también: No trates de ayudarme, porque así no me ayudas nada.

Alfredo Arias terminó de beber su whisky y colocó el vaso con fuerza, y hasta, diría yo, con rabia, con un sentimiento parecido a la indignación, como si el miedo del primer momento hubiera sido suplantado por la ira, encima de la mesa.

—Tú me hiciste una pregunta —dijo—, y yo te la contesto. Te la contesto lo mejor que te la puedo contestar. Porque a Felipe, ¡nunca!, le escuché una palabra sobre tu mujer. ¡Una sola palabra! ¿Me entiendes?

—Entiendo —le dije, con la vista baja, y le pedí que me disculpara, y que pasáramos a otro tema. El me puso una mano en el hombro y me lo estrujó, me lo hizo doler.

—Me imagino lo que estás pensando —le dije—: Estás pensando que estoy enfermo del chape. Y tienes toda la razón. Ya te lo advertí. Es una enfermedad que me cayó de repente, como un garrotazo en la cabeza, y que me tiene paralizado, esclavizado. Si fuera un amor imposible, una pasión senil, estaría más tranquilo, pero el engaño, los celos, la curiosidad enervada, contrariada, son mil veces peores...

El me apretó los músculos del hombro con manos de tenaza. Tuve que dar un grito. El mozo, el aficionado a la salsa, nos observaba con expresión medio burlona, medio chusca.

—Quizás —murmuró Alfredo— deberías consultar a un psiquiatra. Tengo a una psiquiatra muy buena, que me ayudó mucho para salir del alcoholismo.

—¿Y es bonita? —le pregunté, para quitarle un poco de peso al asunto—: ¿Forma parte de la colección tuya, de tus situaciones paralelas?

El movió las manos, como diciendo que me dejara de bromas, y como si todavía, de algún modo, estuviera en guardia, puesto que yo, ahora, para él, ya no era el mismo, y nunca lo sería de nuevo.

—Mira —le dije entonces, tragando limón con agua y con saliva, volviendo a la carga, y reconociendo, en el fondo, que la enfermedad, la que me había sobrevenido de repente, era incurable. Sentía, en ese instante, y lo confieso sin la menor complacencia, con disgusto, que Alfredo Arias era Felipe Díaz, y me daban ganas de agredirlo, de estrangularlo, de aplastarlo como a un gusano. Si me lo hubiera contado habría sido mil veces mejor, pero él, en su testarudez, no entendía. ¡Eres un burro!, quise decirle, pero no se lo dije, y le pedí, en cambio, deponiendo las armas, con la voz más suave y más neutra que podía sacar del pecho, que me hiciera un favor, uno solo—: Entiendo que tú conociste a Mélanie Sylvestre, una loca que le conseguía mujeres a Felipe.

—A Felipe no —dijo Alfredo Arias—. A un tal Marqués de la Gondolière.

—Bien —proseguí—, da lo mismo. A Felipe y al Marqués. El favor, en todo caso, es el siguiente: ¿podrías ponerme en contacto con ella?

—¿Quieres que te consiga una chica para esta

noche? —preguntó Alfredo Arias, más relajado, o haciéndose el relajado, riéndose—: A lo mejor te serviría para cambiar de ideas.

—¿Sabes dónde la puedo encontrar? —insistí.

—Acompáñame —dijo Alfredo Arias.

Hicimos una buena caminata, mientras el cielo cambiaba de color suavemente, y llegamos a un sucucho que se encontraba en los alrededores de la iglesia de Saint-Sévérin y de la Rue de la Huchette.

—Ahí está —dijo Alfredo, señalando con disimulo, con el dedo gordo de la mano derecha, hacia el interior, y se despidió en forma brusca, como si no quisiera encontrarla por todo el oro del mundo. Y como si quisiera liberarse de mí, el atado de mañas que había descubierto hacía sólo un par de horas. Yo, consciente de la extrañeza de todo, culpable, crucé el umbral. Cuando mis ojos se acostumbraron a la oscuridad, distinguí a una mujer de pelo gris, arrugas profundas, cutis de color ceniza, ojos hundidos y sanguinolentos, que fumaba como una chimenea. ¡Qué bruja!, pensé: ¡Cómo he podido caer tan bajo, y en tan pocos días! Además de estragada y vieja, Mélanie Sylvestre estaba sucia, con un mal olor ácido, pegado al cuerpo, y con ropas artesanales demasiado gruesas y lanudas para la estación. Le pregunté, tartamudeando, y sin mayores preámbulos, con lo cual creyó, más que seguro, que uno de los chiflados, de los dementes que pululaban por las cercanías, se había metido a su tugurio, si ella era Mélanie Sylvestre, la amiga de Felipe Díaz.

—Felipe Díaz —repitió ella, mirándome con sus ojos inyectados en sangre, con su boca despectiva, y lanzando bocanadas de humo—: ¿Un periodista borrachín, bueno para nada, de Argentina, de Perú, de uno de esos países?

Me sentí anonadado, incapaz de seguir hablando. ¿Cómo le voy a preguntar?, me dije: ¡Sería demasiado! Di media vuelta, despidiéndome con un gruñido. Llegué hasta el laberinto de callejuelas que rodeaba la iglesia, en medio del olor a fritanga griega, de las bolas de carne de cordero colgada, de los dulces empapados en miel, de las moscas, de la flor de los vagabundos y los reventados de esta tierra, y decidí volver a la carga. Ya que estoy obsesionado por la pregunta, ¿por qué no preguntar, me dije, y salir de esto de una vez por todas?

Regresé, pues, a paso firme, con la respiración entrecortada, tropezando en la masa de los turistas de movimientos lentos, farfullando disculpas, sufriendo y sobreponiéndome al asedio de un par de piltrafas humanas. Pero Mélanie Sylvestre había cerrado el sucucho y había desaparecido. La cortina metálica era lisa, del mismo color que las paredes del inmueble, de la misma suciedad grisácea, y llegué a pensar que formaba parte del muro, y que la visita a la tienda y el encuentro con su mal agestada dueña no habían sido más que imaginaciones mías. Ahí, sin embargo, quizás, en ese fondo improbable, se quedaría el secreto que buscaba, o parte del secreto, entre joyas míseras, arpilleras sucias, espirales de humo que a lo mejor había soñado. De repente, con la boca abierta, la espalda encorvada, el paso vacilante de los ancianos, empujado por la incesante marea, no estaba seguro de nada. En cualquier caso, sabía que ya no tendría fuerzas para enfrentarme con aquella bruja, y que el secreto, si estaba allí, allí se quedaría.

Tomé un taxi para volver a la casa y encontré a Silvia alarmada. Creía, sin duda, que las cosas habían empezado a pasar de castaño oscuro.

—¿De dónde vienes a esta hora? —me preguntó.

—De tomar un café con Felipe Díaz.

—¡Cómo!

—Perdón —rectifiqué—, con Alfredo Arias.

Ella miró para otra parte, pero adiviné que estaba preocupada, muy preocupada, y que tenía un brillo intenso en sus ojos todavía bonitos.

VII

Hemos perdido la infancia, después la adolescencia, después la juventud. Hasta ayer todo el tiempo que ha pasado ha perecido; este día mismo que vivimos, lo compartimos con la muerte.

Séneca

Todo lo anterior, esto es, la revisión clandestina por el doctor Illanes, completamente contraria a sus costumbres, de la colección de fotografías de Felipe Díaz, la cita con Alfredo Arias y sus insistentes preguntas, insólitas en una persona de su suavidad, de su discreción, de su cortesía, y la visita, por último, interrumpida, frustrada, absurda, al sucucho sombrío de Mélanie Sylvestre, ocurrió, como ya se ha dicho, el jueves, un jueves de pleno verano, al día siguiente del entierro de Felipe Díaz en uno de los cementerios de la *banlieu* roja parisina. El doctor Illanes se levantó bastante más temprano que de costumbre el viernes (había tenido una noche sobresaltada, al comienzo con insomnio, más tarde con terribles pesadillas), y calculó que había transcurrido una semana justa desde el encuentro con Felipe en el ángulo del Boulevard de Montparnasse con la Rue Delambre, una semana interminable, que parecía un año, ¡un siglo! El encuentro aquel había marcado el comienzo del final de Felipe, además del comienzo del muy probable final suyo, y de tantos finales. ¡Qué semanita!, se dijo, golpeándose la frente. El doctor usaba gafas redondas, de marco grueso, y tenía una frente alta, despejada, huesuda, aun cuando conservaba gran parte de su pelo, de un color castaño que las canas habían puesto más claro, pero no blanco. Salió con la fotografía de carnet de su mujer en el bolsillo, compró en un quiosco *Libération* y *L'Humanité*, ya que aún no se liberaba de la endiablada e inútil costumbre de comprar *L'Huma*, y pensó que todavía era muy temprano para ir al Museo de Orsay. Tuvo, entonces, una idea que lo descompuso, y que no pudo resistir. Caminó a la Rue Campagne Première y entró en el zaguán sin necesidad de recurrir a la clave. La puerta de Madame Larousse, la *concierge*, estaba abierta, pero a ella no se la divisaba por ningún lado. Subió deprisa, trémulo, entró con el corazón agitado y entreabrió un poco una de las cortinas, como lo había hecho la tarde anterior. Buscó entonces la llave estratégica, abrió el cajón de los secretos, y se metió en el bolsillo interior de la chaqueta la fotografía de la mujer recostada y de piernas abiertas. Lo hizo con manos febriles, con la sensación de haberse convertido de la mañana a la noche en un viejo ladronzuelo y corrompido. No habría sabido explicar por qué no lo había hecho la tarde anterior. Quizás porque la sensación de culpabilidad había sido más fuerte, porque aún le quedaba, la tarde anterior, mucho trecho moral que recorrer. Sea como sea, cerró las cortinas y salió a todo lo que daban sus piernas medio temblorosas. Madame Larousse estaba parada en la puerta de calle.

—¿Qué hace usted por aquí, Monsieur? —preguntó, sin disimular un tono de molestia.

—¡Nada! —respondió el doctor, tartamudeando, moviendo las manos sin gracia—: Tenía que buscar un papel para los trámites de la defunción de mi amigo, para su oficina...

Madame Larousse lo miró con cierta extrañeza, incluso con sospecha, y él, sintiéndose acusado, y hasta despreciado y condenado, apuró el paso. Llegó al Museo de Orsay, consiguió un folleto explicativo y se dirigió derecho a la gran sala de los Courbet.

Junto a *El origen del mundo,* a pesar de lo temprano de la hora, había tres parejas españolas de mediana edad, gente gruesa, más bien chata, que miraba la pintura de la mujer de piernas abiertas y se miraba, que miraba de reojo al doctor setentón, con una mezcla de perplejidad, picardía, disimulo, mientras los maridos se turnaban para fotografiarse al lado del sexo abierto, ofrecido en un primer plano sorprendente. El doctor se caló sus gafas de lectura, abrió el folleto y supo que el cuadro había sido encargado a Courbet por un Bey de Turquía, miembro del *jet-set,* pensó el doctor, del París de mediados del siglo XIX, y que había permanecido en un gabinete reservado, oculto por una cortina verde y por una portezuela donde un pintor de segunda fila había pintado las almenas de un castillo y un paisaje bucólico, recorrido por pastoras, por riachuelos, por remotos rebaños de ovejas. También supo que había terminado, después de algunos cambios de propietario, en la casa de campo de Jacques Lacan, y que la viuda de Jacques Lacan era hija de Georges Bataille, el autor de *Mi madre* y de *La historia del ojo*.

—¡Mira por dónde! —exclamó, ante la sorpresa de las tres parejas españolas. Enseguida, sacó la fotografía de la chaqueta, la miró con atención, avanzó dos pasos y la comparó detenidamente con el cuadro.

—¡Es Silvia! —exclamó—: ¡No puede ser otra! —y se mordió la coyuntura de un dedo de la mano derecha, con fuerza destructora, con incontenible rabia.

Los españoles se alejaron, lanzándole miradas furtivas, mientras él se imaginaba el momento en que el sexo de Felipe Díaz penetraba en la vagina carnosa, entreabierta, y después se dijo: Estoy rayado, reventado, y parece que la noche de pesadillas me hizo tocar fondo.

Salió del museo al aire caliente de la calle, con la cabeza ocupada hasta en sus menores resquicios por la imagen del cuadro, y caminó a regular velocidad, tratando de distraerse, de pensar en otra cosa, hasta llegar, con la lengua afuera, a la esquina de las esquinas, el encuentro en ángulo agudo de la Rue Delambre con el Boulevard de Montparnasse. Vio que un par de estudiantes desocupaba la mesa del viernes anterior, la del azaroso encuentro con Felipe Díaz, y se instaló de inmediato. ¡Qué suerte!, se dijo, y enseguida rectificó: ¿de qué suerte me hablas?, porque no sólo se había puesto a hablar solo, sino que se había puesto, incluso, a polemizar con él mismo, a dialogar como si fuera dos personas, o más de dos.

Saludó con afabilidad al mozo, que no había cambiado (aun cuando le pareció extraño que hubiera sobrevivido con tanta soltura de cuerpo a la desaparición de uno de sus mejores clientes), y le pidió un Ballantine's con hielo y con una botella de Perrier al lado, «no dentro del whisky, *s'il vous plaît!*».

El mozo, un perfecto cabrón, no se dio por aludido de nada. El doctor Illanes, por medio de un movimiento maestro de la mano derecha, que le trajo recuerdos de sus prácticas de cirugía, hizo girar el hielo dentro del vaso de la manera exacta en que lo hacía Felipe, en un momento en que el mozo recibía un pedido en la mesa vecina, y después le dijo que por favor, que lo perdonara, pero tenía una consulta seria que hacerle.

—*Oui, monsieur* —dijo el otro, con la bandeja vacía y la servilleta blanca doblada en el antebrazo, como un profesional competente.

¿El señor se acordaba de Felipe Díaz, un periodista alto, de buena facha, de unos cincuenta y tantos años de edad, cerca de los sesenta, de origen chileno, que siempre se instalaba en la terraza en los comienzos del fin de semana, un gran aficionado al whisky Ballantine's, un señor que lo bebía siempre con dos cubos de hielo y con una gota de agua Perrier?

El mozo se acordaba perfectamente, desde luego, y lamentaba mucho el deceso tan repentino y tan triste de Monsieur Díaz, apellido que pronunciaba con acento en la «a» y con una especie de zeta doble. Lo había sabido por un fotógrafo uruguayo que también era un gran cliente suyo, *monsieur Fonsecá,* ¿usted lo conoce?

—Creo que no —respondió el doctor Illanes, con vaguedad, pero ocurría que el señor Díaz había nombrado heredera universal de sus bienes, que no eran muchos, pero que tampoco eran desdeñables (el mozo estaba a punto de dar una disculpa cualquiera para irse, pero el tema del dinero, de los bienes dejados por su parroquiano difunto, lo hizo cambiar de idea), a una mujer que todo el mundo, todos los amigos de Felipe Díaz, buscaban, y que daba la impresión, precisamente ahora, de haberse hecho humo.

—Usted debe de haberla visto con él muchas veces —dijo, mostrándole la fotografía de carnet de Silvia—: Si no en los últimos años, en épocas anteriores, a comienzos de la década de los setenta, por ejemplo, y sobre todo después de 1973, el año del golpe de Estado en Chile.

El mozo plegó los labios, movió la cabeza en señal de negación e hizo ademán de retirarse.

112

—Le ruego que haga memoria —insistió él, poniéndose de pie para mostrarle la fotografía de más cerca—: ¿No la recuerda como pareja suya, dándose citas frecuentes con él, a diferentes horas?

El mozo lo miró con cara de pocos amigos, pronunció un *non, monsieur* seco, y en ese preciso momento, con horror, con una sacudida brusca del corazón, el doctor Illanes vio que Silvia, mujer suya y de la fotografía de carnet que estaba exhibiendo en ese preciso instante, pasaba por la calle y se acercaba, sonriente, después de haberlo divisado.

—*Attendez, monsieur!* —gritó, pero el mozo ya iba lejos. Dejó, entonces, un billete de cien francos debajo del vaso de whisky, lo cual suponía una propina excesiva, sobre todo para un whisky que ni siquiera había probado, para una información que no había recibido, y corrió a atajar a Silvia y a llevarla del brazo en la dirección contraria, rumbo a la estación de Montparnasse y a sus alrededores, donde vivían.

—¿Qué te pasa, Patricio? —preguntaba Silvia, alterada, ruborizada, resistiéndose a caminar en esa dirección—. ¿Te has vuelto loco?

El doctor Illanes miró por encima del hombro y vio que el mozo, perplejo, moviendo la cabeza, pero contento, después de todo, con la propina, que se había embuchado después de un momento de duda muy fugaz, les clavaba una mirada intensa, sombría. Silvia consiguió zafarse del abrazo del doctor, por fin, y le dijo que necesitaba llegar a una tienda de ropa que estaba detrás del Boulevard Raspail, cerca de los jardines del Luxemburgo.

—Te acompaño —dijo él—, pero siempre que crucemos a la vereda del frente.

Ella lo miró con cara de pregunta.

—Siempre caminamos por este lado —dijo él— y ahora tengo ganas de variar un poco. ¡Tan simple como eso!

Ella no pareció muy convencida, pero consintió en cruzar la calle empujada por el brazo del doctor. Cuando atravesaban Raspail, justo a los pies de la estatua de Balzac por Rodin, el doctor miró a la terraza del Dôme y comprobó que el mozo, reducido por la distancia, después de haber dejado un pedido en una mesa, levantaba la vista, con su infaltable bandeja y su también infaltable servilleta blanca, y los observaba de nuevo, con mirada entre curiosa, escrutadora y burlona.

—Pensará que estoy loco —murmuró él—. ¡Y qué!

—¿Qué dices? —preguntó ella.

—Nada —contestó el doctor Illanes—: ¡Nada, Silvita! Vamos a ver qué porquerías de trapos te has comprado.

Ella lo miró de reojo, seguramente inquieta, haciéndose preguntas, perpleja, pero apretó los labios y guardó silencio. El doctor sospechó que había predominado, al fin, la curiosidad por la ropa que había dejado vista, el anticipo del placer frente a los espejos. Se preguntó, incluso, si no habría sido la vanidad, el deseo de probar su capacidad de seducción, el origen de todo. La curiosidad influía, sin duda, y la vanidad, para qué decir, aparte de que los jardines del Luxemburgo, al fondo de la calle, se divisaban desbordantes de luz y de vegetación, más hermosos que nunca.

VIII

No poder soportar la riqueza es el distintivo
de un alma débil.

Séneca

El día viernes no ocurrió nada más. Nada, por lo menos, digno de anotarse. La vi probarse un par de blusas en liquidación de fin de temporada y unos pantalones en la tienda de las cercanías del Luxemburgo, y confieso que la vi ponerse de perfil frente a un tríptico de espejos, levantarse el cuello, bajárselo, adelantar los labios pintados, con pena, con pésimo ánimo, sintiéndome enfermo, pensando en cómo se habría vestido y se habría desvestido, con qué lentitudes, con qué expresiones, para Felipe Díaz. El sábado en la mañana me armé de coraje. Llamé por teléfono a la hora en que Silvia había salido al mercado, y conseguí una cita, un *rendez-vous*, con Madame Léotard. Me recibiría *avec un grand plaisir, Monsieur le Docteur,* a las cinco de la tarde en punto, en el departamento que ya le conocía, donde habíamos estado con Felipe en las horas preliminares de una larga noche de Año Nuevo, en una planta baja, con siete metros cuadrados de jardín, con rosas, con un *pitosporum* espléndido, con hortensias, en las alturas de Montmartre. Envalentonado, tomé de nuevo el teléfono y llamé a Abelardo Manzano, el guatón socialista, el que había formado parte del pequeñísimo grupo de los que despedían a Felipe en el cementerio.

—Es sólo para preguntarte un par de cosas que me interesan mucho.

—¿Y no podís adelantarme algo?

—No puedo adelantarte nada.

El Gordo gruñó y colgó. Ya me había dado una detallada y más bien complicada explicación sobre su domicilio. Hay algunos que no aprenderán nunca, me dije, pensando en las explicaciones cartesianas de los franceses. Tuve que llegar hasta el Metro Couronnes y hasta el Boulevard de Belleville, donde el diablo perdió el poncho, a un departamento de dos piezas donde el Gordo Manzano, con su corpulenta humanidad, apenas cabía, y donde las tablas del piso crujían en forma lastimera cada vez que el Gordo, con sus zapatones de suela de goma, daba un paso, como si fueran a desplomarse y hacerse añicos. El guatón Manzano escuchó mi historia con relativa paciencia, después de preámbulos que se habían acortado mucho, puesto que no se sacaba nada, había concluido yo, con tanto preámbulo, y la tomó muy mal, pésimamente mal. Me dijo de inmediato, sin el menor rodeo, sin dejarme terminar, que era un huevón de mierda. No sabía, dijo, no se me había pasado nunca por la cabeza, que fueras tan degenerado. ¡Cómo me atrevía a andar haciendo esas preguntas! ¡¡Esas preguntitas!! ¡Y sobre mi propia mujer!

El respetaba mucho a Silvia, la quería, la encontraba discreta, inteligente, buena moza. Yo, con veintitantos años más que ella, casi treinta, me había sacado la lotería, y de repente, de la noche a la mañana, me había convertido en un viejo asqueroso. Con la cabeza llena de mierda.

—¿Entendís? Si no fuera porque hemos sido amigos, y compañeros de lucha, y de exilio, te echaría de mi casa a bofetadas, a patada limpia —y junto con decir estas palabras se ponía de pie, y parecía, a pesar de que anunciaba lo contrario, que iba a pasar, con sus pavorosos ciento veinte kilos, al ataque.

—Disculpa, Gordo —le dije—, es muy posible que tengas razón. Yo no estoy muy bien, que digamos, y por eso vine, porque estoy tratando de buscar alivio en alguna parte —y me dirigí a la puerta.

—Estás muy remal —dijo el Gordo Manzano, agarrándome del brazo—: ¡Estás podrido!

—Hasta luego, entonces, Gordo.

—No, Patito. ¡Qué te habís creído! O me querís decir que despreciai mi vino, mi casa... ¡Que la encontrai demasiado pobre, demasiado cagona para ti, todo un médico general, un cirujano diplomado, un psicólogo de la Gran Puta!

—No, Gordo. ¡Cómo se te ocurre! Pero...

—¡Nada de peros aquí! —dijo, y repitió la frase varias veces, y no tuve más salida que compartir con él una botella de vino áspero, un resto de queso rancio, que daba la impresión de haber sido mordisqueado por ratas, y escucharlo llorar miserias durante más de una hora. Había tratado de volverse a Chillán, su tierra, y le había ido como el ajo. El guatón se ganaba la vida como dibujante humorístico, y ocurría que el humor suyo, combativo, como él decía, duro, de extrema izquierda, ya no pegaba, ni en Chillán, ni en Santiago, ni en ninguna parte. A todo esto, en medio de las lamentaciones y de los brindis con vino de lija, el Gordo había pasado del insulto a los abrazos, al amor intenso. Quería regalarme un dibujo de gran formato, muy feo para mi gusto, excesivamente recargado de tinta, un poco borroneado: un Tío Sam grotesco pateado en el trasero por una especie de guerrillero sandinista.

—Entonces —aproveché para insistir, creyendo que la confusión podía favorecerme—, ¿no sabes nada de Silvia y Felipe?

Abelardo Manzano, el guatón, se puso de pie lentamente, con sus pantalones bolsudos, con su pelo moteado y abundante caído sobre las orejas, con la piel gruesa de su cara, entre rojiza y cobriza, y se agarró la cabeza con las dos manos.

—¡Qué tipo más imbécil! ¡Qué pelotudo!

Logré escapar de aquellos veintidós metros cuadrados y de las tenazas del Gordo, escapar, literalmente, y sin necesidad de cargar con el horrible dibujo a manera de rescate, y llegué a nuestro departamento del barrio de Montparnasse tarde para

almorzar, agitado, pasado a vino e incluso a tabaco, porque el humo de los cigarrillos del guatón
se me había enredado en las hilachas de la camisa.
Silvia se veía más preocupada que nunca, y me acarició la cabeza, me acompañó hasta la silla, me sirvió el almuerzo con cariños y con cuidados que
me parecieron excesivos, equivalentes a los que se
prodigan a los niños, a los ancianos seniles, a los
muy enfermos.

—Fui a ver el cuadro de Courbet —le dije— y lo
comparé contigo...

—¿Cómo?

—Y después me encontré con el Gordo Manzano, Abelardo, el que estaba el otro día en el entierro de Felipe, y me obligó a tomarme con él unas
copas de vino.

—¡Te obligó!

Un poco más tarde, cuando terminábamos de
almorzar, dije, para ponerme el parche antes de la
herida, o para curarme en salud, como dicen los
españoles—: He descubierto que uno pierde la mitad, o más de la mitad de su vida, durmiendo
siesta.

—¡A mí me encanta! —exclamó Silvia, con verdadera exaltación, sin asomo de remordimiento—.
Sin la siesta no podría vivir —y yo me pregunté,
tembloroso, derramando el gazpacho andaluz que
ella preparaba tan bien para los días de calor intenso, si sus encuentros con Felipe no habrían tenido lugar, precisamente, a la hora de la siesta, y

123

me pregunté algo todavía peor, algo aún más difícil de soportar: si no estaría recordando a Felipe, Silvia, en el minuto preciso en que decía que la siesta le encantaba, que no podía vivir sin ella.

Traté de levantar la cuchara con gazpacho por segunda vez, porque soy loco, dicho sea de paso, por el gazpacho, sobre todo si tiene cebollita picada y costras de pan tostado, y tampoco pude.

—Patito —dijo ella, con serenidad, sin ánimo de pelea—, ¿no se me habrá puesto bueno pa'l frasco, usted que no bebía nunca?

A mí, en ese instante, frente a una sospecha tan injusta, no sólo eso, tan ajena a mi verdadera angustia, a la emoción malsana que me corroía, y por efecto de mi debilidad, de mi trastorno, de mi falta de sueño, se me soltaron las lágrimas. No pude impedirlo. Fue una reacción completamente instintiva, irresistible, como si me hubiera meado de repente en los pantalones. Además, para colmo, sólo servía, una reacción así, para confirmar aquella sospecha, como si todo, ahora, se volviera en contra de mí, se convirtiera en prueba de cargo.

—¡Pobrecito! —exclamó ella. Me había clavado su ojo certero, y me había visto convertido en un estropajo, en un pelele. Se puso de pie, conmovida, y me acarició la cabeza.

—Es que estoy un poco nervioso, Silvita —dije, revolviendo el gazpacho y golpeando el tazón, sin quererlo, con la cuchara—. Hace días que estoy nervioso. Pero usted, mi linda, no se preocupe. Son cosas de la edad, ¡de la edad avanzada!

—No sacaríamos nada con que yo también me pusiera nerviosa —dijo Silvia, que en materia de sentido común ha sido siempre sólida como una roca. De una solidez enigmática, ¡defendida!

—En efecto —seguí, con los ojos todavía húmedos, pero más sereno, ganando tiempo, capaz, ya, de controlar la cuchara, aunque sintiendo, otra vez, que el ácido de la amargura me perforaba las vísceras—: ¡Nada!

IX

¿Qué me importa que sea cierto para la naturaleza lo que para mí es incierto?

Séneca

Las rarezas, como habría dicho Silvia, salvo que Silvia había empezado a sospechar que eran peor que rarezas, continuaron, porque salí de la casa a las tres de la tarde, antes de que ella se hubiera retirado a dormir su siesta, que para mí también, como ya lo he dicho, había sido un rito sagrado hasta hacía muy poco, hasta el momento cercano, remoto y cercano, en que había cesado de vivir y de dormir tranquilo, quizás para siempre. Mi capacidad de inventar explicaciones, de contar mentiras, se había agotado, o ya me costaba un esfuerzo excesivo, de manera que llegué hasta la puerta, simplemente, sin decir nada, la abrí, haciendo gestos de dolor a causa del escandaloso chirrido de los goznes, la cerré y bajé las escaleras a todo lo que me daban las piernas, como un ratero que acabara de robar en su propia casa. ¡Qué alivio, al salir al aire hirviente, y qué disparate! Disponía de dos horas para llegar a la cita con la inefable Madame Léotard, en las alturas de Montmartre, de modo que me dirigí al Boulevard Edgar Quinet, que desemboca en el sector de la estación de Montparnasse a pocos pasos de nuestro edificio. Durante mi segunda exploración del departamento de Felipe Díaz, ¡cuánta delincuencia, y en qué corto espacio de tiempo!, había sacado, aparte de la parodia, voluntaria o involuntaria, de *El origen del mundo,* un papel con un detalle importante: una dirección en Edgar Quinet que sólo podía corresponder al domicilio de la amiga de la filósofa. A esas alturas, la filósofa, el personaje que dio comienzo a todo el encadenamiento de estos sucesos, se me había borrado de la cabeza, y yo no creía, por lo demás, que la pista suya y de su amiga pudiera darme muchos frutos. En cualquier caso, había que intentarlo todo, aun cuando en algunos momentos el resorte flaqueara, como había sucedido con Mélanie, la bruja de las joyas, y caminé hacia la dirección escrita en el papel encontrado, robado, con pasos enérgicos, apretando los dientes.

Me abrió una brasileña, a juzgar por el acento, inconfundible, como todos saben, aunque la gente del Brasil hable en castellano, en francés o en cualquier idioma, de unos cuarenta y tantos años de edad, que pudo alguna vez haber sido bonita, pero que estaba evidentemente estropeada por la mala vida, por el abuso del tabaco, por el vino tinto barato, quizás por la droga. ¿Otra bruja?, me pregunté, ¿otra amigota de las parcas? La conversación tomó desde el primer minuto, por una cuestión no sólo de palabras sino también de gestos, de actitudes, un giro más bien insólito.

130

—Soy un amigo de Felipe Díaz —le dije, pensando para mis adentros que, después de todo, ser un amigo y ser un apasionado enemigo no era demasiado diferente.

—¿Felipe Díaz?

—El amigo de su amiga, la filósofa mexicana, o japonesa, ¡o suiza! No estoy muy seguro.

—¡Ah! —exclamó ella, con voz aguardentosa, mientras el humo del cigarrillo que tenía pegado en los labios le subía en columnas por la cara macilenta. Mélanie, de todos modos, me dije, la joyera, la guardiana de los cachivaches, era diez veces más bruja.

—¡Sí! —prosiguió—: ¡El amigo de Esmeralda!

Conseguí, pues, una importante información: el nombre de la filósofa, junto a la probabilidad de que su padre, el jalapeño, o el japonés de Jalapa, haya sido admirador de Victor Hugo. Pero las sorpresas no pararon ahí. Tuve que contarle a la brasileña, que tenía una botella de tinto litreado encima de una mesa y que ni siquiera me ofreció una silla, que Felipe había muerto, que se había causado, para ser más preciso, la muerte.

—Con una sobredosis de píldoras para dormir.

—¡Qué horror! —exclamó ella, con la doble erre más difícil de este mundo, y dijo que iba a llamar por teléfono a Esmeralda para contárselo.

—¡Pobre mujer! —dije, y la brasileña, que no cesaba de fumar sus petardos y de beber su tinto a pequeños sorbos, y que no se había sentado, para que yo entendiera con la más completa claridad que no estaba invitado a quedarme, salió con lo siguiente. Salió con que Esmeralda era una mujer feliz, envidiable, guapa, llena de talento, exitosa en su profesión, y emparejada, como si fuera poco todo lo anterior, con un profesor joven, brillante, y, además de brillante, ¡bellísimo!, *bellisime* (así dijo). Iba a sentir mucho la muerte «do Felipe Díaz», sin duda, porque le había contado que era un bohemio, un loco, y que sentía mucha simpatía «por êle», pero «si el señor» se inquietaba por Esmeralda, no debía inquietarse. ¡No, señor! Esmeralda era la mujer más razonable, mejor organizada, más realizada (empleó esta palabreja anacrónica, que había estado de moda en el Santiago de los años cincuenta y que había subido hasta Iquique, aun cuando la empleó, desde luego, con la marcada zeta de los brasileños), más realizada, repitió, de esta tierra.

En ese momento, por una escalera de mano que se divisaba al fondo de la habitación en penumbra y que conectaba con el techo, empezaron a bajar las piernas de un hombre que daba la impresión de estarse levantando recién y de haber dormido vestido, a juzgar por las arrugas de su ropa, por el desorden de su melena frondosa, negruzca, entrecana, y por cierto olor que me llegó hasta la punta de las narices.

—Sólo vine para comunicarle esto, señora —masculé, devolviéndole, de paso, su pronunciado «señor»—, y dígale a Esmeralda que me llame, si quiere, que fui el mejor amigo (¡oh, ironía!), o uno de los mejores amigos, de Felipe.

Dejé una tarjeta de visita encima de la mesa, sobre las manchas de un mantel que podía haber viajado, hacía largo tiempo, desde la ciudad de Bahía, y salí a la carrera, despavorido, en el momento en que empezaba a acercarse la cara gruesa, somnolienta, aplastada, del orangután del altillo. ¿Quién entiende a las mujeres?, me preguntaba después, mientras viajaba en el metro rumbo a las alturas de Montmartre, ¿quién entiende a los seres humanos, y cómo se puede saber la verdad, o acercarse, por lo menos, a eso que llaman la realidad y que se nos escurre por todos lados? Me hacía estas preguntas en voz alta, con los ojos perdidos en la nebulosa, y mi vecina de asiento, que llevaba en la cabeza un pañuelo blanco de procedencia turca o árabe, me miraba de reojo.

La conversación con Madame Léotard, poco rato más tarde, fue, creo, aún más absurda, ¡lo cual no es poco decir! Hubo momentos en que sentí el soplo de la demencia detrás de la oreja, en que Madame Léotard, si hubiera sido una persona menos educada, menos delicada, me habría expulsado de su casa a patadas, con viento fresco. Porque me costó mucho entrar en materia, pero hubo un vuelco en la entrevista, un momento mágico, al menos para mí, al cabo de los diez o doce minutos iniciales, y entré, quiero decir, entré en el nudo de la cuestión, rojo como un tomate, con las orejas ardientes, sosteniendo en la mano derecha, con serio peligro, una taza de porcelana llena de té de jazmín.

—Quiero ser enteramente franco con usted, mi querida Madame Léotard.

—No faltaría más, *Monsieur le Docteur* —dijo ella.

—A estas alturas de mi vida, *chère Madame,* no tiene ningún sentido que ande con rodeos, con disimulos.

Madame sonrió con una sonrisa medida, apolínea, deseando, sin la duda más mínima, que la conversación terminara pronto y que yo desapareciera de una vez y para siempre de su casa, de Montmartre, del horizonte entero. Estoy viendo, y creo que veré durante todo el resto de mi vida, durante todo el tiempo que me queda, su cara redonda, enmarcada por la ventana, y, detrás de la ventana, por las rosas, por las hortensias de su jardín, enigmática a fuerza de reprimir la risa, o la irritación, o el insulto, de reemplazarlos, mejor dicho, por una especie de control perfecto.

—Yo calculo que usted, Madame —proseguí, impertérrito, con algo que sólo podría definirse como heroísmo—, es una de las personas que conoció mejor en esta tierra a Felipe Díaz.

—*En effet* —concedió ella—, es muy probable.

Tragué saliva, entonces, bebí un sorbo de té, y le dije, con una voz que se me había adelgazado y a la vez se me había puesto ronca, que deseaba saber una cosa un poco delicada, pero muy concreta, y que le pedía disculpas de antemano, pero no podía recurrir a ninguna otra fuente de información tan fiable, tan segura como ella. Lo que deseaba saber, le dije, Madame, cerrando los ojos, lanzándome al abismo, era si mi mujer, Silvia, había sido amante en alguna época de Felipe Díaz, o por lo menos, y esta parte de la pregunta la quise suprimir, pero no pude, y la formulé ruborizado, con la vista extraviada, si había hecho el amor con él alguna vez, aunque sólo fuera una sola vez. Ella, Madame Léotard, probablemente lo sabría, o por lo menos tendría sospechas más o menos fundadas, conocería detalles que yo no habría podido conocer, usted me comprende, Madame, y yo no podría vivir, no podría soportar los pocos años de vida que me quedaban por delante («Sí, Madame. Soy médico, y me conozco bien, y sé que la ansiedad, la incertidumbre, me podrían destruir a muy corto plazo»), no podría, más bien, sobrevivir, porque esto ya no podía llamarse vida, mientras no saliera de la duda. Si ella, Madame, tuviera la infinita bondad de contármelo todo, con el mayor lujo de detalles que fuera posible, con todos sus comentarios, observaciones, suposiciones, me haría un favor señaladísimo. ¡Me salvaría!

—Aunque usted, *chère Madame,* se resista a creerlo. Y le ruego, una vez más, que me perdone, que comprenda mi situación, ¡mi sufrimiento!

Madame Léotard, con notable manejo del diálogo, con algo que sólo podríamos calificar de buen estilo *(chapeau, Madame!)*, dijo que comprendía mi curiosidad, Monsieur, aunque habría sido mucho más sano, desde luego, mucho más saludable para el espíritu, no darle tantas vueltas a estas cosas, pero que no tenía, y me suplicaba que le creyera, la menor noción sobre el asunto que le consultaba, nunca le había escuchado alusión alguna a Felipe, ni a nadie, si es por eso, y suponía, por este motivo, que mis sospechas, mis celos, ¡para utilizar la palabra justa!, carecían de todo fundamento.

—Por favor, Madame —dije, a sabiendas de que perdía el rumbo, de que me extraviaba todavía más, de que naufragaba en el más completo ridículo—: Usted no me hace el menor servicio, no me ayuda en absoluto, si me cuenta mentiras piadosas.

Madame Léotard, a todo esto, con buenas maneras, pero con decisión irrevocable, se había puesto de pie. Había tapado la ventana con sus curvas generosas, con su pecho ancho, con sus hombros y sus brazos de cariátide griega. Tenía, dijo, Monsieur (me había quitado ya el *docteur,* y no hablemos del *cher docteur),* que prepararse para salir. Lo sentía mucho, pero la esperaban a jugar bridge en casa de unos amigos.

—Es una lástima —agregó, sin embargo, como si hubiera cambiado de idea en el último minuto—, y perdóneme que se lo diga de una manera tan personal, tan brusca, si se quiere, que su bonita y antigua amistad con Felipe Díaz se haya visto empañada por estas sospechas, sospechas que, en mi opinión, y vuelvo a ser con usted demasiado franca, de una franqueza brutal, quizás, y le ruego otra vez que me perdone, que son, repito, injustas para la memoria de Felipe, y también, claro está, para su propia esposa, ¡y para usted mismo! Los celos, *mon cher docteur* —terminó, menos severa, con una pizca, incluso, de picardía, moviendo de un modo que me pareció seductor, provocador, quizás, su poderoso busto—, son una pasión extremadamente nociva, que hace ver fantasmas por todas partes, y usted *(a vôtre age, voyons!)* debería saber sobreponerse a ellos. *Allez!* —añadió—: *Courage!* —y me empujó con exquisita suavidad, pero con inapelable firmeza, hasta la puerta de la calle. Yo estaba rojo, tembloroso, la piel me ardía, y tuve la sensación de que las hortensias de Madame Léotard, con sus corolas azulinas, opulentas, se estremecían, riéndose de mí a carcajadas.

X

¿No has visto, acaso, cómo en pocas horas ha terminado aquel desfile, aunque lento y acompasado?

Séneca

«¡Qué importa!», me decía, cinco minutos después, hablando solo como un enajenado, mientras bajaba a pie por las aceras curvas de la Rue Caulaincourt. «No vuelvo a ver a esta señora nunca en mi puta, en mi putísima vida.»

¿Era suficiente consuelo? El episodio había sido, quizás, necesario, quizás, incluso, explicable, pero qué desprovisto de gloria, de elegancia, de calma. De repente, en una etapa tan avanzada del camino, ¡después de los setenta!, había perdido la brújula, y de qué modo. Pensé, mientras me acercaba a la plaza de Clichy, que no estaba demasiado lejos de la Rue Victor Massé, de la casa de Benedicto Morgado, un amigote de Felipe, y de Elvira, su mujer, Elvireta, y se me ocurrió llamarlos por teléfono. Era una expresión más de mi naufragio en el abismo, pero tenía, después de la caída del Muro de Berlín, de todas esas cosas, una posibilidad de justificación, ya se verá por qué. Benedicto Morgado, pintor, escenógrafo, poeta, procedía en línea directa del surrealismo, del grupo de los amigos y seguidores de Vicente Huidobro, de los enemigos declarados nuestros, y nosotros, hasta ahora, a pesar de la amistad común con Felipe, de vivir en París, de haber sido enemigos activos de la dictadura chilena, por no hablar del derrumbe generalizado del Muro y de todo aquello, manteníamos una distancia. Nuestras querellas, sin embargo, y aquí comenzaba la justificación, eran cosas de un pasado extinguido, anacronismos completos, y alguien tenía que dar alguna vez el primer paso. Benedicto entendió mi llamado como parte de la emoción causada por la muerte súbita de Felipe, ¡con razón, después de todo!, y dijo que me esperaban, Elvireta y él, con los brazos abiertos.

—¡Qué macanuda idea has tenido, viejito! —exclamó, y la verdad es que el «viejito», aunque dicho en forma cariñosa, no me gustó demasiado. Llegué al departamento de Victor Massé, calle donde vivió en una de sus llegadas a París el Maestro, Huidobro, donde recibió, según cuentan las crónicas, a Guillaume Apollinaire con la cabeza vendada y en compañía de una señorona de perla en el escote, y entré en una tarde de largos vinos, de besos y abrazos exagerados, de recuerdos compulsivos de Teófilo Cid, de Braulio Arenas, del pintor Sotomayor, de Jorge Cáceres, que se había muerto del corazón en su tina de baño, de Lucho Oyarzún y Eduardo Molina Ventura, gente que yo siempre, yo mucho más que Silvia, tengo que advertirlo, y ahora, sólo ahora, me daba cuenta de que el matiz podía significar más cosas de las que

142

yo creía, había considerado decadente, podrida, intelectuales vendidos, anticomunistas viscerales, maricones o seudomaricones, y que Benedicto Morgado, con su entusiasmo, con su indudable elocuencia, me empezaba a mostrar desde otra perspectiva, con otros colores y otras luces.

—¡Y tanto que nos peleamos! —exclamé yo, como diciendo, para qué diablos, qué incomunicación más inútil y más nociva, en nuestra provincia tan estrecha.

—¡Qué gustazo me has dado! —repetía Benedicto de tanto en tanto, y creo que lo decía con sinceridad, con sentimientos de amistad auténticos—. Y Silvita —preguntó dos o tres veces—, ¿por qué no la trajiste?

—Sí —dijo Elvireta—, ¿por qué no trajiste a Silvita?

Me embarqué, entonces, en otra espiral, en otro arrebato de locuacidad vergonzosa, diciéndome que después de esto, después de mi ataque de verborrea, de mi fiebre confesional, no tendría más salida que tomar un whisky con una sobredosis de píldoras para dormir, como el desgraciado de Felipe. Conté, en efecto, sin dar crédito a lo que yo mismo me escuchaba decir, pero en el tono más afirmativo del mundo, como si estuviera sentado en mi antigua cátedra de patología psicosomática, que la Silvita estaba muy triste, porque siempre, como ellos tenían que saberlo, aunque jamás lo habrían dicho delante de mí, pero ahora ya podían decirlo, podíamos hablar a calzón quitado, como gente de finales del siglo veinte y que había bebido en las doctrinas más avanzadas de nuestra época, en el surrealismo, en el marxismo leninismo, porque la Silvita siempre, repetí, había estado medio enamorada, o enamorada y media, para qué andábamos con cuentos, de Felipe Díaz.

—¡De Felipe Díaz! —exclamó Elvira, Elvireta.

—¡De Felipe Díaz! —insistí—, y no te vengas a hacer la lesa, la cartuchona, conmigo, Elvirucha, ¡porque no sacai nada!

Benedicto Morgado torció los labios. Se encogió de hombros como gato erizado. Como si la posición de su cabeza y de su cuello le resultara, de repente, altamente incómoda. Puso las manos en el respaldo de una silla de paja y dijo, mirando para otra parte, con una entonación que habría estado buena para el teatro, pero no para una tertulia casual y confusa:

—Primera cosa que oigo.

—¡No sean maricones! —exclamé, con voz cascada—: Yo necesito que me digan la verdad. ¡Toda la verdad! De lo contrario, este encuentro, este reencuentro, esta reconciliación, como ustedes quieran ponerle, no servirá de nada —y lo subrayé varias veces: ¡de absolutamente nada!

—Yo creo, francamente —dijo Elvira, con mala leche, porque era, la verdad, una pécora de muy mala leche—, que te estás volviendo loco, Patito Illanes.

—No es eso —intervino Benedicto, persona, en contraste con ella, esencialmente conciliadora—: Los celos, Elvireta, son un sentimiento corriente, natural, y si no andas con mucho cuidado, si los dejas crecer en forma descontrolada, son capaces de amargarte la existencia, de destruirte. Tú, Patito, a causa de la muerte de Felipe, de la edad, de lo· que sea, te has convertido en una víctima, y tienes que sanarte de esa enfermedad a toda costa. De lo contrario, te vas a joder, te vas a volver loco de verdad.

Me acordé de la conversación de hacía un rato con Madame Léotard, cuya filosofía parecía coincidir con la de Benedicto, ¿demostración de que la burguesía y el surrealismo eran uña y mugre, como solían sostener en épocas pretéritas los llamados intelectuales del Partido? No podía, claro está, por ningún motivo, contar mi conversación de hacía un rato con Madame. ¡Ahí sí que me habrían creído enfermo, chocho, reblandecido! ¡Sin remisión alguna! Y los méritos, la gratuidad misma de mi visita, se habrían depreciado.

—Y por último, Pato —dijo Elvira, que se había puesto pensativa—, por último, si la Silvita, en algún momento de debilidad, de soledad, de abandono, se hubiera pegado un polvito con Felipe, ¿ibas a destruir tú, por eso, treinta años de convivencia armoniosa, de felicidad conyugal, y a estas alturas, a tus setenta y tantos años? ¡Hazme el favor!

—¡Ah! —salté, y la verdad pura es que salté, me acordé de los tiempos en que fui *centro forward* suplente de la selección nacional de fútbol, los tiempos en que combinaba el deporte *amateur* de aquel entonces con los estudios de medicina, antes de conocer a Silvia, desde luego, que fue alumna mía muchísimo más tarde—: ¡Por fin! ¡Ya estás empezando a soltarme prenda!

—¡Qué viejo más huevón! —exclamó Elvireta, furibunda, esgrimiendo una botella de vino tinto que habíamos consumido entera—. ¡Debería romperte esta botella en la crisma!

—No seas pesada, Elvira —rogó Benedicto—: A mí me encanta que Patricio nos haya venido a visitar, y que nos hable en confianza, como a verdaderos amigos, que nos cuente todos sus problemas, incluso los más íntimos... Me parece estupendo, ¡formidable! Siento que la vida, de repente, ha cambiado, y que ha cambiado para mejor.

—Está muy bien —interrumpí—, pero yo no necesito que me hablen de la vida. Yo necesito que me hablen de las relaciones entre la Silvia y Felipe Díaz, y nadie me entiende. Nadie me quiere entender. Y si no me hablan de eso —dije, con energía, dejando todo el resto de pudor a un lado—, no sólo me voy a volver loco, sino que voy a reventar, me voy a morir.

—¡Viejo pelotudo! —repitió Elvira, que había agarrado, por lo visto, una mona agresiva, y agregó que iba a llamar por teléfono a Silvia para que viniera corriendo a buscarme. De otro modo, masculló, con pésimas pulgas, yo era capaz de darles la lata toda la noche.

—Tienes toda la razón, Elvirucha —le respondí, consternado, con los ojos húmedos, y Benedicto me puso una mano suave por encima de los hombros, me dio unos golpecitos leves en la cabeza. Tenía una sensibilidad delicada, el pobre Benedicto, con quien me había pasado peleando más de la mitad de mi vida, y por razones puramente ideológicas, ¡habráse visto!, mientras Elvireta, su mujer, tenía la delicadeza de un jabalí cornúpeto...

—No le hagas caso —me susurró al oído—, mira que con el vino se pone cargante. Pero si quieres que te diga una cosa, Patito... Por si te sirve de algo. ¡Por si te ayuda! Ella, que todavía es una mujer bonita, está libre de ataduras convencionales. Quiero decir, ¡para que me entendai!: tiene derecho a acostarse con quién le dé la real gana... ¿Entendiste?

—Y ese derecho —murmuré, alterado hasta los tuétanos— ¿lo ejerce?

Benedicto Morgado se paseaba por la sala estrecha, atiborrada de libros y revistas surrealistas, de plantas trepadoras, de cuadros de Sotomayor, cerros de Valparaíso cubistas, pescados monstruosos, y otros que deduje que eran suyos, caravanas de personajes famélicos vistas desde muy lejos, además de dibujos en tinta china de Jorge Cáceres, lluvias de plumas, frutas parecidas a sexos femeninos. De repente se puso en cuclillas y me miró a los ojos, con los ojos suyos azules, cándidos, inyectados en sangre.

—¿Quieres que te diga una cosa, viejito, Patito? Ha ejercido ese derecho en el pasado muchas veces, las veces que se le ha fruncido ejercerlo. ¡Y todavía, de vez en cuando, lo ejerce! Aunque ya, a diferencia de antes, no le gusta contarme nada, cosa que me molesta una brutalidad, que me desespera, incluso. ¡Para qué andarnos con cuentos!

—¿Y qué crees tú de Silvia, de Silvia con Felipe, o con cualquier otro? —pregunté, mirándolo a mi vez, con un feroz nudo en la garganta.

—No sabemos una sola palabra de Silvia, con Felipe o con nadie, y no creemos que haya ocurrido nada. ¡Te lo juro por mi madre! —y se besó los dedos, en un gesto muy poco vanguardista—. Pero si así hubiera ocurrido, estaría en su pleno derecho, en su condición de ser humano, de mujer emancipada. ¿Entendís?

—Es que ustedes —dije, y lo dije reteniendo el llanto, comprobando que en la última y decisiva semana me había puesto blando como una jalea, llorón—, los surrealistas, siempre fueron así, unos perfectos anarquistoides, con algo, o con mucho, de libertinos.

—¡Libertarios! No libertinos. Y ustedes, por lo demás, en los primeros años eran iguales, hasta que

148

llegó Lenin, que era, en el fondo de los fondos, un pequeño burgués...

—¡Lenin!

—Sí —dijo Benedicto—, Lenin, un pequeño burgués, a diferencia de Bakunin, de Rosa Luxemburg, y que impuso, por eso, una disciplina represiva, con la idea de que así salvaba su Revolución, cuando en realidad la jodía para siempre, y después de Lenin llegó el camarada Stalin, el Padrecito de los Pueblos, y ahí sí que cagaron pila, porque el Padrecito los aplastó, los castró, los llenó de cárceles mentales y de las otras.

—La KGB —murmuré, pensando en mis lecturas recientes.

—Todos ustedes eran colaboradores de la KGB —dijo Benedicto, inspirado—, unos reclutados y otros no, unos conscientes y otros sin darse cuenta. Y la desestalinización nunca llegó demasiado lejos. Tú lo sabes mejor que yo. Por eso se desplomó el Muro de Berlín, y ustedes, los de la vieja guardia, ¡siguen cagados!

Me quedé con la boca abierta, calculo que un poco babeante, con la vista perdida en la oscuridad. Ricardo abrió otra botella del mismo vino tinto, un Pinot Noir del año 94 bastante potable. Me llenó el vaso, y lo bebí entero, sin parar, a pesar de que el vino tinto sin comida siempre me ha provocado repugnancia. El estaba parado delante de mí. Yo, con gran esfuerzo, soltando un pedo, cosa que nqs dio risa, me puse de pie. Abrí los brazos, y nos abrazamos, vacilantes, emocionados, borrachísimos.

—¡Viejos maricones! —dijo Elvireta, detalle que me recordó curiosamente a Silvia, y agregó que Silvia estaba al teléfono, y que no podía creer que yo me encontrara en esa casa, conversando con ellos como buenos amigos. Tenía que acercarme al fono para demostrárselo.

Caminé hasta el dormitorio con torpeza, tomé el teléfono, que estaba tirado en el centro de la gran cama conyugal, y dije de sopetón, sin el menor preámbulo, como en el peor de los boleros:

—¡Silvita! ¡Mi amor! ¡Mi vida! ¿Por qué me traicionaste? ¡Yo te amo locamente! ¡Te adoro!

—En la casa de Benedicto Morgado —declaró ella—, lugar que habías jurado no volver a pisar nunca, y borracho como una cuba, tú que no probabas el alcohol. ¡En París va a haber un terremoto de grado nueve!

Dijo después que salía de inmediato a buscarme, y terminó, en mal francés, *vieux crapule!*, ¡viejo crápula!, cuando debió decir, quizás, vieja crápula, en francés y en castellano, porque la crápula era la borrachera, antes de ser el borracho, y era, por lo tanto, substantivo, y femenino.

He vivido y he seguido la carrera que me había dado la fortuna.

Virgilio, citado por Séneca

XI

Me llamó, para mi gran sorpresa, la harpía de la Elvireta Morgado, y me dijo que Patricio estaba en su casa, que por favor fuera a buscarlo. Al comienzo no pude creerle. Pensé que podía ser una broma suya, de amargada. Dile que se acerque al teléfono, le pedí. Y cuando se acercó, descubrí, preocupada, porque hace días que estoy preocupada con este asunto, que había estado tomando con los Morgado, que son un par de borrachines, y que estaba curado como saco, borracho perdido. No ha podido asimilar el golpe del suicidio de Felipe, el pobre, pensé, y esto, a sus años, podría ser grave. Porque estaba muy bien, con sus setenta y tantos bien llevados, en un camino tranquilo a los ochenta, y lo de Felipe, la decisión de Felipe, fue un accidente que nadie había previsto. ¿Qué será de mí si le pasa algo, si en el espacio de unas pocas semanas pierdo a Patricio, después de haber perdido al loco de Felipe? Ya me imagino enterrada en Iquique, con mi hermana: un par de viejas solas, pobretonas, chuñuscas, viviendo de los recuerdos, de los recuerdos míos, ya que la Estrella, mi hermana, ni siquiera tendrá recuerdos. Entre los alrededores de la estación de Montparnasse, donde vivimos ahora, y la calle Arturo Prat de Iquique, ¡hay más de una diferencia!

Siempre sostengo que el golpe militar, en cierto modo, nos abrió los ojos. Los hombres nunca dicen estas cosas, y menos cuando son políticos o politiqueros, como todos los chilenos sin excepción, los de adentro y los del exilio, pero las mujeres sí que podemos decirlas. El golpe nos hizo conocer el mundo a la fuerza. Y ya no podemos volver, ni a Iquique ni a ninguna parte. Ya no hay regreso; el regreso, ahora, es un anticipo de la muerte.

Me costó un mundo sacar a Patricio del departamento de la Rue Victor Massé. Ese hombre tan correcto, tan equilibrado, tan aterrizado, el profesor de medicina impecable que había conocido y me había seducido en mis años estudiantiles, el cuarentón atlético, mezcla de intelectual y deportista, el cincuentón pintado, una de las cabezas del exilio chileno, estaba convertido en un nihilista de mirada extraviada, de boca entreabierta y babeante, de pronunciación pastosa y piernas de lana, medio gagá, pasado a vino barato. Benedicto Morgado, tambaleándose, con cara de sátiro idiotizado, proponía, el muy enfermo de la cabeza, que durmiéramos los cuatro juntos, y tuve la intuición repentina de que Elvireta, desde su altura de mujer sólida, bien plantada, de voz ronca, aficionada a

154

decir palabrotas, me miraba con ojos libidinosos.
¡Qué susto! Conseguí sacar a tirones al estropajo
de Patricio, y en la calle, en el silencio, bajo una
brisa fresca, respiré con un alivio profundo.

—Lo que pasa, Silvita —dijo él, sacando la voz
con dificultad—, es que yo no te quería decir una
palabra, y ahora, por el contrario, he llegado a la
conclusión de que tengo que hablarte.

Se había detenido en el medio de la vereda, se
había arreglado el pelo, se había pasado un pañuelo por la cara sudorosa, y daba la impresión de
estar bastante más sobrio en la calle que en el departamento de Benedicto. «Se ve bien todavía», me
dije: «Todavía la pega», y me propuse cuidarlo, volver a encarrilarlo a toda costa, darle gusto en las
cosas que le convenían, y que me convenían.

—¿Hablarme de qué?

—De muchas cosas, y de una muy concreta,
muy importante para mí, y que sólo tú, sólo tú,
como vas a comprenderlo al tiro, Silvita, puedes
aclararme.

Encontramos un taxi en ese momento y nos
subimos. Tuve que empujarlo un poco, cuidar de
que no se golpeara la cabeza, y después de darle la
dirección al taxista, me miró y se colocó el índice
en los labios, con cierta solemnidad, mientras me
acariciaba las manos y los muslos con la todavía
firme, fuerte mano izquierda. Habría podido pensar que era una solemnidad de borracho, pero se
notaba que alguna razón profunda lo había puesto

sobrio. La embriaguez, la verdadera embriaguez, había quedado olvidada en aquella sala estrecha, de paredes recargadas, entre aquellas marionetas que daban manotazos de ciego, gárrulas, insistentes.

Acercó la boca a mis oídos y musitó en voz baja:

—Estoy profundamente conmovido, Silvita. ¡Conmovido hasta el fondo, fondo de mi corazón! Ni siquiera sé si voy a poder explicártelo de una manera convincente. A lo mejor vas a pensar mal de mí. A lo mejor me vas a odiar, o vas a creer que me he convertido, de una vez y para siempre, en un huevón de mierda. ¡Quién sabe!

Cuando cruzamos a toda velocidad por el Pont de l'Alma, las primeras luces del amanecer del domingo despuntaban detrás de las sombras de los árboles, de los techos de los edificios, del entramado de la torre Eiffel.

—¡París! —exclamó Patricio, con emoción de meteco, de sudamericano decadente, y el anciano taxista, levantando una mano, riéndose, repitió:

—*Toujours Paris!*

Llegamos a nuestro departamento, en un décimo piso, frente al gran espacio despejado que rodea la estación y la torre de Montparnasse, y Patricio me pidió que le preparara un café. Después de beber el primer sorbo, y ahora sí que estaba en un estado de sobriedad completa, soltó su rollo. Me dijo que estaba convencido, archiconvencido, de que yo había sido amante de Felipe Díaz. Había hecho una investigación acuciosa, había conversado, me contó (y pensé que exageraba, que blufeaba, a ver si yo lo soltaba todo), con decenas de personas, con Madame Léotard, con el mozo del Dôme, con Abelardo Manzano, el Gordo, con Alfredo Arias, ¡qué habrá pensado, cómo se habrá reído por adentro!, con Benedicto Morgado y Elvireta, ¡qué diablos podían saber, el par de pailones!, con amigas de Felipe, con sus compañeros de trabajo «y además, te lo confieso, porque estoy trastornado por la curiosidad, por la angustia, he revisado su departamento milímetro a milímetro y he descubierto documentos de un valor probatorio irrefutable, por lo menos para una persona que conoció al revés y al derecho la psicología de Felipe: una fotografía tuya de tamaño carnet metida en la colección de fotografías de sus amantes, aparte de la fotografía de un desnudo, con la cara debajo de las sábanas, tapada, pero los muslos, la guatita, la chuchita», susurró, «se parecen terriblemente», dijo, con la voz tomada por la emoción, «a los tuyos, a la chuchita tuya...».

—¡Qué! —grité, perdiendo el control durante una fracción de segundo.

—Sí, Silvita. Tú sabes que Felipe, a su modo, era coleccionista y era fetichista, y esta fotografía tuya (la sacó del bolsillo, la levantó para que recibiera la luz de la ventana), que venía después de la fotografía del desnudo anónimo, idéntico al de la

157

pintura de Courbet, fue, para mí, qué quieres, ¡la demostración concluyente!

—Creo, Patricio —respondí, recuperando lentamente la calma—, y te lo digo con franca preocupación, con ansiedad, con todo mi cariño, que después del suicidio de Felipe Díaz estás enfermo, seriamente enfermo.

—¡De acuerdo, Silvita! Estoy enfermo, estoy a punto de reventar, y la única persona que puede sanarme eres tú. Mi salud, mi posibilidad de salvación, mental y física, están en tus manos.

—¿Cómo? —le pregunté, a pesar de que ya sabía, de que no tenía ninguna necesidad de preguntárselo.

—Contándomelo todo —respondió él, con expresión de súplica, con los ojos enrojecidos, húmedos—: Contándomelo todo, y con el mayor lujo de detalles posible. Porque, si me lo cuentan otros, o lo deduzco de infinitos indicios, sigo enfermo, envenenado, asfixiado. Necesito que me lo cuentes tú, de tu propia boca. Necesito saber, por ejemplo, ¡de modo urgente!, si el desnudo de la otra foto eres tú, y cuántas veces hiciste el amor con Felipe, y en qué forma. ¡Entiéndeme, por favor!

Comprendí que estaba atrapada, que había caído en una trampa, y tuve, en ese instante, una ocurrencia. Para ganar un poco de tiempo. Como un boxeador que se encuentra de repente en un ring, frente a un adversario mucho más fuerte, y consigue en el primer segundo propinarle un derechazo en la mandíbula. Confieso que tengo la costumbre vergonzosa, ¡entre otras!, de ver el box en la televisión. Lancé, pues, mi derechazo. Le pregunté si ya no se acordaba de Nathalie Jarre, la enfermera que había sido ayudante suya cuando vinimos de Chile para que él hiciera un *stage*, un período de práctica, en el hospital de La Salpêtrière.

—La verdad es que se me había borrado de la cabeza —dijo, pero adiviné en sus ojos que el golpe, la pregunta inesperada, lo había descolocado.

—¡Ah! —exclamé yo—, ¡qué bonito! Voy a pedir ahora mismo mis pasajes para la Conferencia de las Mujeres en Pekín. El señor doctor puede divertirse con las enfermeras, pescotearlas, besuquearlas, acostarse con ellas en sus ratos libres, y después se le borra de la cabeza, ¡al perla!, y si una, para desquitarse, para consolarse, llegara a tener un pequeño desliz, ¡llevaría un estigma de puta, de mujer adúltera, toda la vida!

—¿Y el pequeño desliz lo tuviste con Felipe, naturalmente?

—¿Y con quién habría podido tenerlo, Patito? ¡Si es que lo hubiera tenido! ¿Con el despachero de la esquina? Felipe era el hombre más a mano, y estaba siempre dispuesto, ¡siempre listo! Una gran comodidad, ¿no te parece?

Patricio hundió la cabeza entre las manos. Estuvo así largo rato, callado, sumido. Llevábamos alrededor de treinta años juntos y nunca había sospechado que fuera tan celoso. Que estuviera tan obsesionado por mí. Le pasé una mano por la cabeza, con suavidad, pensando en él, y pensando, también, en Felipe. Si yo hubiera sido su amante fija, única, habría sido mejor, quizás, para todos: para él, porque yo me habría esmerado en ser una esposa excelente, ¡y habría tenido tantas cosas que contarle!, y para mí, porque me había enamorado hasta las patas, para qué estamos con cuentos, y hasta para Felipe, que no habría estado tan solo, al final, tan mal acompañado y tan solo, y no habría tenido necesidad de tomar esas píldoras. Quizás nadie sospecha lo que es el amor, lo que es una pareja, lo que es una pareja dispareja.

Cuando nos fuimos a la cama ya era de día claro. Junté las cortinas con un alfiler de gancho y el dormitorio quedó más o menos a oscuras. El rumor de la calle molestaba, pero las ventanas y las cortinas cerradas conseguían amortiguarlo.

—Quiero hacerte una sola pregunta, por ahora, Silvita —dijo Patricio, en la oscuridad, con la voz enronquecida, cambiada—: Como las preguntas de las confesiones de los colegios de curas, en mi infancia. ¿Cuántas veces?

—¿Cuántas veces?

—Sí. ¿Cuántas veces?

—Cuatro o cinco veces.

—¿Cuatro, o cinco?

—Creo que fueron cinco, no más de cinco, en

todo caso, ¡si es que fueron!, pero, ¡qué importancia tiene, ahora! ¡Qué interrogatorio más absurdo! ¡Debería darte vergüenza!

—¿Cinco noches?

—Cinco tardes —respondí, no sé por qué, quizás por humor negro, por provocar, porque la atmósfera de la casa de Benedicto y la Elvireta me había contagiado.

—¡Cinco siestecitas!

—Patito...

Le acaricié la frente. Estaba agitado, en la sombra del dormitorio, y alcancé a ver que tenía una especie de sonrisa amarga, sarcástica.

—Te quiero mucho, Patito, y tú lo sabes...

—Y yo también, Silvita, pero esto me duele como el carajo. ¡Tengo ganas de aullar!

—Aúlla, pues. Aúlla. Como ya es de día, los vecinos no tienen derecho a reclamar.

—Pensarán que te has venido, después de una farra desaforada, con un orangután del zoológico.

—¡Y qué importa!

Patricio se levantó, con su cuerpo martirizado por la edad, por algunos rollos de grasa alrededor de la cintura, por la columna chueca, pero que conservaba restos, huellas de su antiguo vigor; abrió las cortinas y la ventana, y pegó, contra el aire caliente y ruidoso, un alarido fenomenal, que fue respondido por los ladridos histéricos de los pequineses de la señora del noveno piso.

Volvió a la cama y me preguntó, somnoliento,

si había pensado en lo buena que había sido la última orgía de Felipe.

—¿Qué última orgía?

—Piensa un poco —dijo. Felipe no había escatimado el whisky de la mejor clase, el Johnny Walker etiqueta negra, su predilecto, y ni siquiera había ahorrado en las burbujas del agua Perrier, porque no le gustaba el agua, pero adoraba las burbujas—, tú misma eras una burbuja —añadió, y le dije que no tenía ninguna necesidad de ponerse insultante, y después, tragando una píldora detrás de la otra, se había desvanecido en un orgasmo eterno, en brazos de la muerte, ¡nada menos!, de la Parca.

—¡Qué lujo! ¿No te parece?

—Descansa, Patito —le dije, acariciándolo, besándole la cabeza.

—Creo que yo podría durar un poco más —dijo—: Porque Felipe Díaz, entre la paz del hogar, la felicidad doméstica en brazos de la filósofa, y la orgía de un suicidio con etiqueta negra, ¡con etiquetas fúnebres!, y con píldoras que le disolvían la conciencia, prefirió el suicidio, y yo, por el contrario, podría ser perfectamente feliz contigo, sin necesidad de alcoholes, de píldoras, de porquerías, pero siempre, eso sí, que me lo cuentes todo. ¿Me entiendes? ¡Todo! Porque si no me lo cuentas todo, reviento, me voy a la mismísima mierda...

—Te lo voy a contar todo —le dije—, que en realidad no es nada, para que te quedes tranquilo. Pero mañana, o esta tarde. Ahora necesitas dormir.

Lo acaricié debajo de las sábanas, pensando que contar las cosas era un juego, un invento curioso, y que contarlo todo, toda la verdad, el episodio de Alfredo, por ejemplo, era imposible, y noté, de repente, con sorpresa, que tenía una erección como la de sus años maduros, lejanos, a pesar de que estaba semidormido. Me pareció la demostración de que su trastorno, su demencia súbita, no eran ninguna broma. Suspiró, murmuró frases inconexas, y después, ya más despierto, sacó la foto más grande, la que se parecía al cuadro.

—Se parece muchísimo a ti —murmuró, con una voz que se le había enredado en el fondo de la garganta.

No le respondí nada. O me mataba, o me estrangulaba, porque todavía tiene mucha fuerza, o se salvaba, y nos salvábamos todos.

—¿No quieres ponerte en la misma posición de la mujer de la foto?

Tampoco dije nada. El, entonces, levantó las sábanas, que apenas se podían soportar debido al calor, y me tapó la cara. Después separó mi pierna izquierda. Me miró, supongo, porque yo no lo veía, durante un rato, y a lo mejor me comparó con la foto.

—Eres tú —susurró, subiéndose encima de mí, penetrándome, sin dejar que me quitara las sábanas de la cara.

—Sí —le dije—: Soy yo.

—¿Y cómo —preguntó, sofocado—, conocía el cuadro?

—Supongo que sí —suspiré.

—¿Y cuándo te hizo la fotografía?

—Ya no me acuerdo.

—¡Cómo que no te acuerdas!

Me preguntó, entonces, si lo pasaba bien con Felipe.

—¿Lo pasas bien con él? —me volvió a preguntar, como si Felipe estuviera vivo.

Le dije que sí.

—Sí—le dije.

—¿Mejor que conmigo?

—Creo que no —le dije—. No sé.

—Pero, de todas maneras, ¿lo pasas, lo pasabas bien?

Volví a decirle que sí, sacándome las sábanas de la cara, mirándolo a los ojos. El estaba en un estado de excitación furiosa, con las pupilas dilatadas, y supongo que yo no lo hacía mal.

—Sí —le dije una vez más, sin la menor necesidad, y agregué, con voz silbante, extasiada, un adverbio perverso, casi una venganza—: Brutalmente bien.

Me preguntó si tenía orgasmos con Felipe, y le contesté que sí, que por supuesto.

—¿Ricos?

—Ricos —susurré, trastornada, en la oscuridad, haciéndole masajes en la nuca con los dedos, y sentí que él se vaciaba en un orgasmo prolongado, intenso, como el de sus años mejores. Después se dio vuelta para el otro lado de la cama, para el lado más oscuro, diciendo frases inconexas, gruñendo, haciendo ruido con los labios y hasta con los dientes, y al poco rato roncaba, mientras yo, en la oscuridad, mantenía los ojos abiertos como platos.

Aunque era domingo, había trenes que partían a las provincias, y los ruidos de la mañana comenzaban. Estuve enamorada como una loca de Felipe, me repetía, casi con asombro, pero nadie lo supo, ni el doctor, ni nadie, y desde luego, ni el propio Felipe, que pasaba por encima de esas cosas y ni se fijaba, ¡el desgraciado! Y al doctor, a Patito, lo quiero profundamente, le tengo un cariño cada día más grande. Ojalá viva muchos años más. Pero creo que ha sufrido un golpe muy fuerte, con la muerte de Felipe y con todas estas historias, con estas obsesiones extrañas que se le han metido dentro de la cabeza, ¡y tengo miedo, la verdad es que tengo mucho miedo! No sé si me he internado en un camino equivocado, y si voy a destruirlo todo. Por otro lado, me digo que la fantasía de Patito es peligro, veneno, enfermedad del coco, y que al mismo tiempo es vida. De otra manera, ¿de dónde sacaría tantas energías? A lo mejor se las ha sacado a Felipe, se las ha succionado, y después de sacárselas lo ha dejado botado a la orilla del sendero, sin nada, como un ollejo, muerto. ¡Ha luchado contra su fantasma, en la sombra, contra el ángel funesto, y al fin, después de tantas vueltas y revueltas, lo ha vencido!

Calafell, París, julio de 1995, mayo de 1996